ÉTICA PARA AMADOR

Serie Ápeiron
«Invitación a la filosofía»

Serie dedicada a la iniciación a distintas áreas de la filosofía. Los títulos publicados interesarán a estudiantes y público en general debido a que su enfoque y desarrollo quieren ser una invitación amistosa y amena a descubrir y recorrer tanto las avenidas como los senderos de la filosofía. Su lectura representará también placer y descanso para los profesionales de la filosofía, quienes encontrarán en esta serie libros sencillos de alta calidad.

Asesores

Mariona Costa
Eduard Gadea
Josep Maria Lozano
Ferran Requejo

Fernando Savater

ÉTICA
PARA AMADOR

EDITORIAL ARIEL, S. A.
BARCELONA

Diseño de colección: Hans Romberg

ISBN: 84-344-10199-0

Primera reimpresión (Colombia): febrero de 1992
Segunda reimpresión (Colombia): septiembre de 1992
Tercera reimpresión (Colombia): mayo de 1993
Cuarta reimpresión (Colombia): agosto de 1993
Quinta reimpresión (Colombia): noviembre de 1993
Séptima reimpresión (Colombia): octubre de 1994
Octava reimpresión (Colombia): marzo de 1995
Nóvena reimpresión (Colombia): julio de 1995
Décima reimpresión (Colombia): diciembre de 1995
Decimaprimera reimpresión (Colombia): febrero de 1995
Decimasegunda reimpresión (Colombia): abril de 1996
Decimatercera reimpresión (Colombia): julio de 1996
Decimacuarta reimpresión (Colombia): octubre de 1996
Decimaquinta reimpresión (Colombia): febrero de 1997
Decimasexta reimpresión (Colombia): marzo de 1997
Ediciones Roca Ltda.

Impreso por Impreandes Presencia S.A.
Impreso en Colombia-Printed in Colombia

A Sara,
por su amorosa impaciencia
con Amador y conmigo

«Escucha, hijo mío, dijo el demonio
poniendo su mano sobre mi cabeza...»

EDGAR ALLAN POE, «Silencio»

AVISO ANTIPEDAGÓGICO

Este libro *no* es un manual de ética para alumnos de bachillerato. No contiene información sobre los más destacados autores y más importantes movimientos de la teoría moral a lo largo de la historia. No he intentado poner el imperativo categórico al alcance de todos los públicos...

Tampoco se trata de un recetario de respuestas moralizantes a los problemas cotidianos que puede uno encontrarse en el periódico y en la calle, del aborto a la objeción de conciencia, pasando por el preservativo. No creo que la ética sirva para zanjar ningún debate, aunque su oficio sea colaborar a iniciarlos todos...

¿Tiene que hablarse de ética en la enseñanza media? Desde luego, me parece nefasto que haya una asignatura así denominada que se presente como alternativa a la hora de adoctrinamiento religioso. La pobre ética no ha venido al mundo para dedicarse a apuntalar ni a sustituir catecismos... por lo menos, no debiera hacerlo a estas alturas del siglo XX. Pero no estoy nada seguro de que deban evitarse unas primeras consideraciones generales sobre el sentido de la libertad ni que basten a este respecto unas cuantas consideraciones deontológicas incrustadas en cada una de las restantes disciplinas. La reflexión moral no es solamente un asunto especializado más para quienes deseen cursar estudios superiores de filosofía sino parte *esencial* de cualquier educación digna de ese nombre.

Este libro no es más que eso, sólo un libro. Personal y subjetivo, como la relación que une a un padre con su hijo; pero por eso mismo universal como la relación entre padre e hijo, la más común de todas. Ha sido pensado y escrito para que puedan leerlo los adolescentes: probablemente enseñará muy pocas cosas a sus maestros. Su objetivo no es fabricar ciudadanos bienpensantes (ni mucho menos malpensados) sino estimular el desarrollo de *librepensadores*.

Madrid, 26 de enero de 1991

PRÓLOGO

A veces, Amador, tengo ganas de contarte muchas cosas. Me las aguanto, estáte tranquilo, porque bastantes rollos debo pegarte ya en mi oficio de padre como para añadir otros suplementarios disfrazado de filósofo. Comprendo que la paciencia de los hijos también tiene un límite. Además, no quiero que me pase lo que a un amigo mío gallego que cierto día contemplaba pacíficamente el mar con su chaval de cinco años. El mocoso le dijo, en tono soñador: «Papi, me gustaría que saliéramos mamá, tú y yo a dar un paseo en una barquita, por el mar.» A mi sentimental amigo se le hizo un nudo en la garganta, justo encima del de la corbata: «¡Desde luego, hijo mío, vamos cuando quieras!» «Y cuando estemos muy adentro —siguió fantaseando la tierna criatura— os tiraré a los dos al agua para que os ahoguéis.» Del corazón partido del padre brotó un berrido de

11

dolor: «¡Pero, hijo mío...!» «Claro, papi. ¿Es que no sabes que los papás nos dais mucho la lata?» Fin de la lección primera.

Si hasta un crío de cinco años puede darse cuenta de eso, me figuro que un gamberro de más de quince como tú lo tendrá ya requetesabido. De modo que no es mi intención proporcionarte más motivos para el parricidio de los ya usuales en familias bien avenidas. Por otro lado, siempre me han parecido fastidiosos esos padres empeñados en ser «el mejor amigo de sus hijos». Los chicos debéis tener amigos de vuestra edad: amigos y amigas, claro. Con padres, profesores y demás adultos es posible en el mejor de los casos llevarse razonablemente bien, lo cual es ya bastante. Pero llevarse razonablemente bien con un adulto incluye, a veces, tener ganas de ahogarle. De otro modo no vale. Si yo tuviera quince años, lo que ya no es probable que vuelva a pasarme, desconfiaría de todos los mayores demasiado «simpáticos», de todos los que parece como si quisieran ser más jóvenes que yo y de todos los que me diesen por sistema la razón. Ya sabes, los que siempre están con que «los jóvenes sois cojonudos», «me siento tan joven como vosotros» y chorradas por el estilo. ¡Ojo con ellos! Algo querrán con tanta zalamería. Un padre o un profesor como es debido tienen que ser algo cargantes o no sirven para nada. Para joven ya estás tú.

De modo que se me ha ocurrido escribirte algunas de esas cosas que a ratos quise contarte y no supe o no me atreví. A un padre soltando el rollo filosófico hay que estarle mirando a la jeta, mientras se pone cara de cierto interés y se sueña con el liberador momento de correr a ver la tele. Pero un libro lo puedes leer cuando quieras, a ratos perdidos y sin necesidad de dar ninguna muestra de respeto: al pasar las páginas bostezas o te ríes si te apetece, con toda libertad. Como la mayor parte de lo que voy a decirte tiene mucho que ver precisamente con la libertad, es más propio para ser leído que para ser escuchado en sermón. Eso sí, tendrás que prestarme un poco de *atención* (apróximadamente la mitad de la que dedicas a aprender un nuevo juego de ordenador) y tener algo de *paciencia*, sobre todo en los primeros capítulos. Aunque comprendo que es poner las cosas bastante más difíciles, no he querido ahorrarte el esfuerzo de pensar *paso a paso* ni tratarte como si fueses idiota. Soy de la opinión, que no sé si compartirás, de que cuando se trata a alguien como si fuese idiota es muy probable que si no lo es llegue pronto a serlo...

¿De qué me propongo hablarte? De mi vida y de la tuya, nada más ni nada menos. O si prefieres: de lo que yo hago y de lo que tú estás empezando a hacer. En cuanto a lo primero, a lo que hago, quisiera contestarte por fin a una pregunta que me planteaste a bocajarro hace muchos años —ya ni te acordarás— y que en su día quedó sin respuesta. Debías tener unos seis años y pasábamos el verano en Torrelodones. Esa tarde, como las otras, yo estaba tecleando con desgana en mi Olivetti portátil, encerrado en mi cuarto, ante una foto de la cola de una gran ballena, erguida y chorreante sobre el mar azul. Os oía jugar a ti y a tus primos en la piscina; os veía correr por el jardín. Perdona la cursilada confidencial: me sentía pringoso de sudor y de felicidad. De pronto te llegaste hasta la ventana abierta y me dijiste: «Hola. ¿Qué estás *maquinando*?» Contesté cualquier bobada porque no era el caso de empezar a explicarte que intentaba escribir un libro de *ética*. Ni a ti te interesaba lo que pudiera ser la ética ni estabas dispuesto a prestarme atención durante mucho más de tres minutos. Quizá sólo querías que supiese que estabas ahí: ¡como si yo pudiera olvidarlo alguna vez, entonces o ahora! Pero ya te llamaban los otros y te fuiste corriendo. Yo seguí *maquinando* dale que te pego y es ahora, casi diez años más tarde, cuando me decido por fin a darte explicaciones sobre esa cosa rara, la ética, de la que me sigo ocupando.

Un par de años más tarde y también en nuestro miniparaíso de Torrelodones, me

14

contaste un sueño que habías tenido. ¿A que tampoco te acuerdas? Estabas en un campo muy oscuro, como de noche, y soplaba un viento terrible. Te agarrabas a los árboles, a las piedras, pero el huracán te arrastraba sin remedio, igual que a la niña de *El mago de Oz*. Cuando ibas zarandeado por el aire, hacia lo desconocido, oíste mi voz («yo no te veía, pero sabía que eras tú», precisaste) diciendo: «¡Ten confianza! ¡Ten confianza!» No sabes el regalo que me hiciste contándome esa rara pesadilla: ni en mil años que viva podría pagarte el orgullo de aquella tarde en que supe que mi voz podía darte ánimos. Pues bueno, todo lo que voy a decirte en las páginas siguientes no son más que repeticiones de ese único consejo una y otra vez: ten confianza. No en mí, claro, ni en ningún sabio aunque sea de los de verdad, ni en alcaldes, curas ni policías. No en dioses ni diablos, ni en máquinas, ni en banderas. Ten confianza *en ti mismo*. En la inteligencia que te permitirá ser mejor de lo que ya eres y en el instinto de tu amor, que te abrirá a merecer la buena compañía. Ya ves que esto no es una novela de misterio, de esas que hay que leer hasta la última página para saber quién es el criminal. Tengo tanta prisa que empiezo por descubrirte en el prólogo la última lección.

Quizá sospeches que estoy tratando de comerte el coco y en cierto sentido no vas desencaminado. Verás, muchos pueblos antropófagos abren —o abrían— el cráneo de sus enemigos para comer parte de su cerebro, en un intento de apropiarse así de su sabiduría, de sus mitos y de su coraje. En este libro te estoy dando a comer algo de mi propio coco y también aprovecho para comerte un poco el tuyo. No sé si sacarás mucha pitanza de mis sesos: quizá sólo unos bocados de la experiencia de un príncipe que no todo lo aprendió en los libros. Por mi parte, quiero apropiarme a mordiscos de una buena porción del tesoro que te sobra: juventud intacta. Que nos aproveche a ambos.

Capítulo primero

DE QUÉ VA LA ÉTICA

Hay ciencias que se estudian por simple interés de saber cosas nuevas; otras, para aprender una destreza que permita hacer o utilizar algo; la mayoría, para obtener un puesto de trabajo y ganarse con él la vida. Si no sentimos curiosidad ni necesidad de realizar tales estudios, podemos prescindir tranquilamente de ellos. Abundan los conocimientos muy interesantes pero sin los cuales uno se las arregla bastante bien para vivir: yo, por ejemplo, lamento no tener ni idea de astrofísica ni de ebanistería, que a otros les darán tantas satisfacciones, aunque tal ignorancia no me ha impedido ir tirando hasta la fecha. Y tú, si no me equivoco, conoces las reglas del fútbol pero estás bastante pez en béisbol. No tiene mayor importancia, disfrutas con los mundiales, pasas olímpicamente de la liga americana y todos tan contentos.

Lo que quiero decir es que ciertas cosas uno puede aprenderlas o no, a voluntad. Como nadie es capaz de saberlo todo, no hay más remedio que elegir y aceptar con humildad lo mucho que ignoramos. Se puede vivir sin saber astrofísica, ni ebanistería, ni fútbol, incluso sin saber leer ni escribir: se vive peor, si quieres, pero se vive. Ahora bien, otras cosas hay que saberlas porque en ello, como suele decirse, *nos va la vida*. Es preciso estar enterado, por ejemplo, de que saltar desde el balcón de un sexto piso no es cosa buena para la salud; o de que una dieta de clavos (¡con perdón de los fakires!) y ácido prúsico no permite llegar a viejo. Tampoco es aconsejable ignorar que si uno cada vez que se cruza con el vecino le atiza un mamporro las consecuencias serán antes o después muy desagradables. Pequeñeces así son importantes. Se puede vivir de muchos modos pero hay modos que no dejan vivir.

En una palabra, entre todos los saberes posibles existe al menos uno imprescindible: el de que ciertas cosas nos *convienen* y otras no. No nos convienen ciertos alimentos ni nos convienen ciertos comportamientos ni ciertas actitudes. Me refiero, claro está, a que no nos convienen si queremos seguir viviendo. Si lo que uno quiere es reventar cuanto antes, beber lejía puede ser muy adecuado o también procurar rodearse del mayor número de enemigos posibles. Pero de momento vamos a suponer que lo que preferimos es vivir: los respetables gustos del suicida los dejaremos por ahora de lado. De modo que ciertas cosas nos convienen y a lo que nos conviene solemos llamarlo «bueno» porque nos sienta *bien*; otras, en cambio, nos sientan pero que muy *mal* y a todo eso lo llamamos «malo». Saber lo que nos conviene, es decir: distinguir entre lo bueno y lo malo, es un conocimiento que todos intentamos adquirir —todos sin excepción— por la cuenta que nos trae.

Como he señalado antes, hay cosas buenas y malas para la salud: es necesario saber lo que debemos comer, o que el fuego a veces calienta y otras quema, así como el agua puede quitar la sed pero también ahogarnos. Sin embargo, a veces las cosas no son tan sencillas: ciertas drogas, por ejemplo, aumentan nuestro brío o producen sensaciones agradables, pero su abuso continuado puede ser nocivo. *En unos aspectos* son buenas, pero en otros malas: nos convienen y a la vez no nos convienen. En el terreno de las relaciones humanas, estas ambigüedades se dan con aún mayor frecuencia. La mentira es algo en general malo, porque destruye la confianza en la palabra —y todos necesitamos hablar para vivir en sociedad— y enemista a las personas; pero a veces parece que puede ser útil o beneficioso mentir para obtener alguna ventajilla. O incluso para hacerle un favor a alguien. Por ejemplo: ¿es mejor decirle al enfermo de cáncer incurable la verdad sobre su estado o se le debe engañar para que pase sin angustia sus últimas horas? La mentira no nos conviene, es mala, pero a veces parece resultar buena. Buscar gresca con los demás ya hemos dicho que es por lo común inconveniente, pero ¿debemos consentir que violen delante de nosotros a una chica sin intervenir, por aquello de no meternos en líos? Por otra parte, al que siempre dice la verdad —caiga quien caiga— suele cogerle manía todo el mundo; y quien interviene en plan Indiana Jones para salvar a la chica agredida es más probable que se vea con la crisma rota que quien se va silbando a su casa. Lo malo parece a veces resultar más o menos bueno y lo bueno tiène en ocasiones apariencias de malo. Vaya jaleo.

Lo de saber vivir no resulta tan fácil porque hay diversos criterios *opuestos* respecto a qué debemos hacer. En matemáticas o geografía hay sabios e ignorantes, pero los sabios están casi siempre de acuerdo en lo fundamental. En lo de vivir, en cambio, las opiniones distan de ser unánimes. Si uno quiere llevar una vida emocionante, puede dedicarse a los coches de fórmula uno o al alpinismo; pero si se prefiere una vida segura y tranquila, será mejor buscar las aventuras en el videoclub de la esquina. Algunos aseguran que lo más noble es vivir para los demás y otros señalan que lo más útil es lograr que los demás vivan para uno. Según ciertas opiniones lo que cuenta es ganar dinero y nada más, mientras que otros arguyen que el dinero sin salud, tiempo libre, afecto sincero o serenidad de ánimo no vale nada. Médicos respetables indican que renunciar al tabaco y al alcohol es un medio seguro de alargar la vida, a lo que responden fumadores y borrachos que con tales privaciones a ellos desde luego la vida se les haría mucho más larga. Etc.

En lo único que a primera vista todos estamos de acuerdo es en que no estamos de acuerdo con todos. Pero fíjate que también estas opiniones distintas coinciden en otro punto: a saber, que lo que vaya a ser nuestra vida es, al menos *en parte*, resultado de lo que quiera cada cual. Si nuestra vida fuera algo completamente determinado y fatal, irremediable, todas estas disquisiciones carecerían del más mínimo sentido. Nadie discute si las piedras deben caer hacia arriba o hacia abajo: caen hacia abajo y punto. Los castores hacen presas en los arroyos y las abejas panales de celdillas exagonales: no hay castores a los que tiente hacer celdillas de panal, ni abejas que se dediquen a la ingeniería hidráulica. En su medio natural, cada animal parece saber perfectamente lo que es bueno y lo que es malo para él, sin discusiones ni dudas. No hay animales *malos* ni *buenos* en la naturaleza, aunque quizá la mosca considere *mala* a la araña que tiende su trampa y se la come. Pero es que la araña no lo puede remediar...

Voy a contarte un caso dramático. Ya conoces a las termitas, esas hormigas blancas que en África levantan impresionantes hormigueros de varios metros de alto y duros como la piedra. Dado que el cuerpo de las termitas es blando, por carecer de la coraza quitinosa que protege a otros insectos, el hormiguero les sirve de caparazón colectivo contra ciertas hormigas enemigas, mejor armadas que ellas. Pero a veces uno de esos hormigueros se derrumba, por culpa de una riada o de un elefante (a los elefantes les gusta rascarse los flancos contra los termiteros, qué le vamos a hacer). En seguida, las termitas-obrero se ponen a trabajar para reconstruir su dañada fortaleza, a toda prisa. Y las grandes hormigas enemigas se lanzan al asalto. Las termitas-soldado salen a defender a su tribu e intentan detener a las enemigas. Como ni por tamaño ni por armamento pueden competir con ellas, se cuelgan de las asaltantes intentando frenar todo lo posible su marcha, mientras las feroces mandíbulas de sus asaltantes las van despedazando. Las obreras trabajan con toda celeridad y se ocupan de cerrar otra vez el termitero derruido... pero lo cierran dejando *fuera* a las pobres y heroicas termitas-soldado, que sacrifican sus vidas por la seguridad de las demás. ¿No merecen acaso una medalla, por lo menos? ¿No es justo decir que son *valientes*?

Cambio de escenario, pero no de tema. En la *Ilíada*, Homero cuenta la historia de Héctor, el mejor guerrero de Troya, que espera a pie firme fuera de las murallas de su ciudad a Aquiles, el enfurecido campeón de los aqueos, aun sabiendo que éste es más fuerte que él y que probablemente va a matarle. Lo hace por cumplir su deber, que consiste en defender a su familia y a sus conciudadanos del terrible asaltante. Nadie duda de que Héctor es un héroe, un auténtico valiente. Pero ¿es Héctor heroico y valiente del mismo modo que las termitas-soldado, cuya gesta millones de veces repetida ningún Homero se ha molestado en contar? ¿No hace Héctor, a fin de cuentas, lo mismo que cualquiera de las termitas anónimas? ¿Por qué nos parece su valor más auténtico y más *difícil* que el de los insectos? ¿Cuál es la diferencia entre un caso y otro?

Sencillamente, la diferencia estriba en

que las termitas-soldado luchan y mueren porque *tienen* que hacerlo, sin poderlo remediar (como la araña que se come a la mosca). Héctor, en cambio, sale a enfrentarse con Aquiles porque *quiere*. Las termitas-soldado no pueden desertar, ni rebelarse, ni remolonear para que otras vayan en su lugar: están *programadas* necesariamente por la naturaleza para cumplir su heroica misión. El caso de Héctor es distinto. Podría decir que está enfermo o que no le da la gana enfrentarse a alguien más fuerte que él. Quizá sus conciudadanos le llamasen cobarde y le tuviesen por un caradura o quizá le preguntasen qué otro plan se le ocurre para frenar a Aquiles, pero es indudable que tiene la posibilidad de negarse a ser héroe. Por mucha presión que los demás ejerzan sobre él, siempre podría escaparse de lo que se supone que debe hacer: no está *programado* para ser héroe, ningún hombre lo está. De ahí que tenga mérito su gesto y que Homero cuente su historia con épica emoción. A diferencia de las termitas, decimos que Héctor es *libre* y por eso admiramos su valor.

Y así llegamos a la palabra fundamental de todo este embrollo: *libertad*. Los animales (y no digamos ya los minerales o las plantas) no tienen más remedio que ser tal como son y hacer lo que están programados naturalmente para hacer. No se les puede reprochar que lo hagan ni aplaudirles por ello *porque no saben comportarse de otro modo*. Tal disposición obligatoria les ahorra sin duda muchos quebraderos de cabeza. En cierta medida, desde luego, los hombres también estamos programados por la naturaleza. Estamos hechos para beber agua, no lejía, y a pesar de todas nuestras precauciones debemos morir antes o después. Y de modo menos imperioso pero parecido, nuestro programa *cultural* es determinante: nuestro pensamiento viene condicionado por el lenguaje que le da forma (un lenguaje que se nos impone desde fuera y que no hemos inventado para nuestro uso personal) y somos educados en ciertas tradiciones, hábitos, formas de comportamiento, leyendas...; en una palabra, que se nos inculcan desde la cunita unas *fidelidades* y no otras. Todo ello pesa mucho y hace que seamos bastante previsibles. Por ejemplo, Héctor, ese del que acabamos de hablar. Su programación natural hacía que Héctor sintiese necesidad de protección, cobijo y colaboración, beneficios que mejor o peor encontraba en su ciudad de Troya. También era muy natural que considerara con afecto a su mujer Andrómaca —que le proporcionaba compañía placentera— y a su hijito, por el que sentía lazos de apego biológico. Culturalmente, se sentía parte de Troya y compartía con los troyanos la lengua, las costumbres y las tradiciones. Además, desde pequeño le habían educado para que fuese un buen guerrero al servicio de su ciudad y se le dijo que la cobardía era algo aborrecible, indigno de un hombre. Si traicionaba a los suyos, Héctor sabía que se vería despreciado y que le castigarían de uno u otro modo. De modo que también estaba bastante programado para actuar como lo hizo, ¿no? Y sin embargo...

Sin embargo, Héctor hubiese podido decir: ¡a la porra con todo! Podría haberse disfrazado de mujer para escapar por la noche de Troya, o haberse fingido enfermo o loco para no combatir, o haberse arrodillado ante Aquiles ofreciéndole sus servicios como guía para invadir Troya por su lado más débil; también podría haberse dedicado a la bebida o haber inventado una nueva religión que dijese que no hay que luchar contra los enemigos sino poner la otra mejilla cuando nos abofetean. Me dirás que todos estos comportamientos hubiesen sido bastante *raros*, dado quien era Héctor y la educación que había recibido. Pero tienes que reconocer que no son hipótesis *imposibles*, mientras que un castor que fabrique panales o una termita desertora no son algo raro sino estrictamente imposible. Con los hombres nunca puede uno estar seguro del todo, mientras que con los animales o con otros seres naturales sí.

Por mucha programación biológica o cultural que tengamos, los hombres siempre podemos optar finalmente por algo que no esté en el programa (al menos, que no esté *del todo*). Podemos decir «sí» o «no», quiero o no quiero. Por muy achuchados que nos veamos por las circunstancias, nunca tenemos *un solo* camino a seguir sino varios.

Cuando te hablo de *libertad* es a esto a lo que me refiero. A lo que nos diferencia de las termitas y de las mareas, de todo lo que se mueve de modo necesario e irremediable. Cierto que no podemos hacer *cualquier cosa que queramos*, pero también cierto que no estamos obligados a querer hacer una sola cosa. Y aquí conviene señalar dos aclaraciones respecto a la libertad:

Primera: No somos libres de elegir *lo que nos pasa* (haber nacido tal día, de tales padres y en tal país, padecer un cáncer o ser atropellados por un coche, ser guapos o feos, que los aqueos se empeñen en conquistar nuestra ciudad, etc.), sino libres para *responder a lo que nos pasa de tal o cual modo* (obedecer o rebelarnos, ser prudentes o temerarios, vengativos o resignados, vestirnos a la moda o disfrazarnos de oso de las cavernas, defender Troya o huir, etc.).

Segunda: Ser libres para *intentar* algo no tiene nada que ver con *lograrlo* indefectiblemente. No es lo mismo la libertad (que consiste en elegir dentro de lo posible) que la omnipotencia (que sería conseguir siempre lo que uno quiere, aunque pareciese imposible). Por ello, cuanta más *capacidad* de acción tengamos, mejores resultados podremos obtener de nuestra libertad. Soy libre de querer subir al monte Everest, pero dado mi lamentable estado físico y mi nula preparación en alpinismo es prácticamente imposible que consiguiera mi objetivo. En cambio soy libre de leer o no leer, pero como aprendí a leer de pequeñito la cosa no me resulta demasiado difícil si decido hacerlo. Hay cosas que dependen de mi voluntad (y eso es ser libre) pero no *todo* depende de mi voluntad (entonces sería omnipotente), porque en el mundo hay otras muchas voluntades y otras muchas necesidades que no controlo a mi gusto. Si no me conozco ni a mí mismo ni al mundo en que vivo, mi libertad se *estrellará* una y otra vez contra lo necesario. Pero, cosa importante, no por ello dejaré de ser libre... aunque me escueza.

En la realidad existen muchas fuerzas que *limitan* nuestra libertad, desde terremotos o enfermedades hasta tiranos. Pero también nuestra libertad es una fuerza en el mundo, *nuestra* fuerza. Si hablas con la gente, sin embargo, verás que la mayoría tiene mucha más conciencia de lo que limita su libertad que de la libertad misma. Te dirán: «¿Libertad? ¿Pero de qué libertad me hablas? ¿Cómo vamos a ser libres, si nos comen el coco desde la televisión, si los gobernantes nos engañan y nos manipulan, si los terroristas nos amenazan, si las drogas nos esclavizan, y si además me falta dinero para comprarme una moto, que es lo que yo quisiera?» En cuanto te fijes un poco, verás que los que así hablan parece que se están quejando pero en realidad se encuentran muy satisfechos de saber que no son libres. En el fondo piensan: «¡Uf! ¡Menudo peso nos hemos quitado de encima! Como no somos libres, no podemos tener la *culpa* de nada de lo que nos ocurra...» Pero yo estoy seguro de que nadie —*nadie*— cree de veras que no es libre, nadie acepta sin más que funciona como un mecanismo inexorable de relojería o como una termita. Uno puede considerar que optar libremente por ciertas cosas en ciertas circunstancias es muy *difícil* (entrar en una casa en llamas para salvar a un niño, por ejemplo, o enfrentarse con firmeza a un tirano) y que es mejor decir que no hay libertad para no reconocer que libremente se prefiere lo más fácil, es decir, esperar a los bomberos o lamer la bota que le pisa a uno el cuello. Pero dentro de las tripas algo insiste en decirnos: «Si tú hubieras querido...»

Cuando cualquiera se empeñe en negarte que los hombres somos libres, te aconsejo que le apliques la prueba del filósofo romano. En la antigüedad, un filósofo romano discutía con un amigo que le negaba la libertad humana y aseguraba que todos los hombres no tienen más remedio que hacer lo que hacen. El filósofo cogió su bastón y comenzó a darle estacazos con toda su fuerza. «¡Para, ya está bien, no me pegues más!», le decía el otro. Y el filósofo, sin dejar de zurrarle, continuó argumentando: «¿No dices que no soy libre y que lo que hago no tengo más remedio que hacerlo? Pues entonces no gastes saliva pidiéndome que pare: soy automático.» Hasta que el amigo no reconoció que el filósofo podía libremente dejar de pegarle, el filósofo no suspendió su paliza. La prueba es buena, pero no debes utilizarla más que en último extremo y siempre con amigos que no sepan artes marciales...

En resumen: a diferencia de otros seres, vivos o inanimados, los hombres podemos *inventar* y *elegir* en parte nuestra forma de vida. Podemos optar por lo que nos parece bueno, es decir, conveniente para nosotros, frente a lo que nos parece malo e inconveniente. Y como podemos inventar y elegir, podemos *equivocarnos*, que es algo que a los castores, las abejas y las termitas no suele pasarles. De modo que parece prudente fijarnos bien en lo que hacemos y procurar adquirir un cierto saber vivir que nos permita acertar. A ese saber vivir, o *arte de vivir* si prefieres, es a lo que llaman *ética*. De ello, si tienes paciencia, seguiremos hablando en las siguientes páginas de este libro.

Vete leyendo...

«¿Y si ahora, dejando en el suelo el abollonado escudo y el fuerte casco y apoyado la pica contra el muro, saliera al encuentro del inexorable Aquiles, le dijera que permitía a los Atridas llevarse a Helena y las riquezas que Alejandro trajo a Ilión en las cóncavas naves, que esto fue lo que originó la guerra, y le ofreciera repartir a los aqueos la mitad de lo que la ciudad contiene y más tarde tomara juramento a los troyanos de que, sin ocultar nada, formasen dos lotes con cuantos bienes existen dentro de esta hermosa ciudad?... Mas ¿por qué en tales cosas me hace pensar el corazón?» (Homero, *Ilíada*).

«La libertad no es una filosofía y ni siquiera es una idea: es un movimiento de la conciencia que nos lleva, en ciertos momentos, a pronunciar dos monosílabos: Sí o No. En su brevedad instantánea, como a la luz del relámpago, se dibuja el signo contradictorio de la naturaleza humana» (Octavio Paz, *La otra voz*).

«La vida del hombre no puede "ser vivida" repitiendo los patrones de su especie; es *él mismo* —cada uno— quien debe vivir. El hombre es el único animal que puede estar *fastidiado*, que puede estar *disgustado*, que puede sentirse expulsado del paraíso» (Erich Fromm, *Ética y psicoanálisis*).

Capítulo segundo

ÓRDENES, COSTUMBRES Y CAPRICHOS

Te recuerdo brevemente donde estamos. Queda claro que hay cosas que nos convienen para vivir y otras no, pero no siempre está claro qué cosas son las que nos convienen. Aunque no podamos elegir lo que nos pasa, podemos en cambio elegir lo que hacer frente a lo que nos pasa. Modestia aparte, nuestro caso se parece más al de Héctor que al de las beneméritas termitas... Cuando vamos a hacer algo, lo hacemos porque *preferimos* hacer eso a hacer otra cosa, o porque preferimos hacerlo a no hacerlo. ¿Resulta entonces que hacemos siempre lo que queremos? Hombre, no tanto. A veces las circunstancias nos imponen elegir entre dos opciones que no hemos elegido: vamos, que hay ocasiones en que elegimos aunque preferiríamos no tener que elegir.

Uno de los primeros filósofos que se ocupó de estas cuestiones, Aristóteles, imaginó el siguiente ejemplo. Un barco lleva una importante carga de un puerto a otro. A medio trayecto, le sorprende una tremenda tempestad. Parece que la única forma de salvar el barco y la tripulación es arrojar por la borda el cargamento, que además de importante es pesado. El capitán del navío se plantea el problema siguiente: «¿Debo tirar la mercancía o arriesgarme a capear el temporal con ella en la bodega, esperando que el tiempo mejore o que la nave resista?» Desde luego, si arroja el cargamento lo hará porque *prefiere* hacer eso a afrontar el riesgo, pero sería injusto decir sin más que *quiere* tirarlo. Lo que de veras *quiere* es llegar a puerto con su barco, su tripulación y su mercancía: eso es lo que más le conviene. Sin embargo, dadas las borrascosas circunstancias, prefiere salvar su vida y la de su tripulación a salvar la carga, por preciosa que sea. ¡Ojalá no se hubiera levantado la maldita tormenta! Pero la tormenta no puede elegirla, es cosa que se le impone, cosa que le *pasa*, quiera o no; lo que en cambio puede elegir es el comportamiento a seguir en el peligro que le amenaza. Si tira el cargamento por la borda lo hace porque quiere... y a la vez sin querer. Quiere vivir, salvarse y salvar a los hombres que dependen de él, salvar su barco; pero no quisiera quedarse sin la carga ni el provecho que representa, por lo que no se desprenderá de ella sino muy a regañadientes. Preferiría sin duda no verse en el trance de tener que escoger entre la pérdida de sus bienes y la pérdida de su vida. Sin embargo, no queda más remedio y debe decidirse: elegirá lo que quiera *más*, lo que crea más conveniente. Podríamos decir que es libre porque no le queda otro remedio que serlo, libre de optar en circunstancias que él no ha elegido padecer.

Casi siempre que reflexionamos en situaciones difíciles o importantes sobre lo que vamos a hacer nos encontramos en una situación parecida a la de ese capitán de barco del que habla Aristóteles. Pero claro, no siempre las cosas se ponen tan feas. A veces las circunstancias son menos tormentosas y si me empeño en no ponerte más que ejemplos con ciclón incorporado puedes rebelarte contra ellos, como hizo aquel aprendiz de aviador. Su profesor de vuelo le preguntó: «Va usted en un avión, se declara una tormenta y le inutiliza a usted el motor. ¿Qué debe hacer?» Y el estudiante contesta: «Seguiré con el otro motor.» «Bueno —dijo el profesor—, pero llega otra tormenta y le deja sin ese motor. ¿Cómo se las arregla entonces?» «Pues seguiré con el otro motor.» «También se lo destruye una tormenta. ¿Y entonces?» «Pues continúo con otro motor.» «Vamos a ver —se mosquea el profesor—,

¿se puede saber de dónde saca usted tantos motores?» Y el alumno, imperturbable: «Del mismo sitio del que saca usted tantas tormentas.» No, dejemos de lado el tormento de las tormentas. Veamos qué ocurre cuando hace buen tiempo.

Por lo general, uno no se pasa la vida dando vueltas a lo que nos conviene o no nos conviene hacer. Afortunadamente no solemos estar tan achuchados por la vida como el capitán del dichoso barquito del que hemos hablado. Si vamos a ser sinceros, tendremos que reconocer que la mayoría de nuestros actos los hacemos casi automáticamente, sin darle demasiadas vueltas al asunto. Recuerda conmigo, por favor, lo que has hecho esta mañana. A una hora indecentemente temprana ha sonado el despertador y tú, en vez de estrellarlo contra la pared como te apetecía, has apagado la alarma. Te has quedado un ratito entre las sábanas, intentando aprovechar los últimos y preciosos minutos de comodidad horizontal. Después has pensado que se te estaba haciendo demasiado tarde y el autobús para el *cole* no espera, de modo que te has levantado con santa resignación. Ya sé que no te gusta demasiado lavarte los dientes pero como te insisto tanto para que lo hagas has acudido entre bostezos a la cita con el cepillo y la pasta. Te has duchado casi sin darte cuenta de lo que hacías, porque es algo que ya pertenece a la rutina de todas las mañanas. Luego te has bebido el café con leche y te has tomado la habitual tostada con mantequilla. Después, a la dura calle. Mientras ibas hacia la parada del autobús repasando mentalmente los problemas de matemáticas —¿no tenías hoy control?— has ido dando patadas distraídas a una lata vacía de coca-cola. Más tarde el autobús, el colegio, etc.

Francamente, no creo que cada uno de esos actos los hayas realizado tras angustiosas meditaciones: «¿Me levanto o no me levanto? ¿Me ducho o no me ducho? ¡Desayunar o no desayunar, ésa es la cuestión!» La zozobra del pobre capitán de barco a punto de zozobrar, tratando de decidir a toda prisa si tiraba por la borda la carga o no, se parece poco a tus soñolientas decisiones de esta mañana. Has actuado de manera casi instintiva, sin plantearte muchos problemas. En el fondo resulta lo más cómodo y lo más eficaz, ¿no? A veces darle demasiadas vueltas a lo que uno va a hacer nos paraliza. Es como cuando echas a andar: si te pones a mirarte los pies y a decir «ahora, el derecho; luego, el izquierdo, etc.», lo más seguro es que pegues un tropezón o que acabes parándote. Pero yo quisiera que ahora, retrospectivamente, te preguntaras lo que no te preguntaste esta mañana. Es decir: *¿por qué* he hecho lo que hice?, ¿*por qué* ese gesto y no mejor el contrario o quizá otro cualquiera?

Supongo que esta encuesta te indignará un poco. ¡Vaya! ¿Que por qué tienes que levantarte a las siete y media, lavarte los dientes e ir al colegio? ¿Y yo te lo pregunto? ¡Pues precisamente porque yo me empeño en que lo hagas y te doy la lata de mil maneras, con amenazas y promesas, para obligarte! ¡Si te quedases en la cama menudo jaleo te montaría! Claro que algunos de los gestos reseñados, como ducharte o desayunar, los realizas ya sin acordarte de mí, porque son cosas que siempre se hacen al levantarse, ¿no?, y que todo el mundo repite. Lo mismo que ponerse pantalones en lugar de ir en calzoncillos, por mucho que apriete el calor... En cuanto a lo de tomar el autobús, bueno, no tienes más remedio que hacerlo para llegar a tiempo, porque el colegio está demasiado lejos como para ir andando y no soy tan espléndido para pagarte un taxi de ida y vuelta todos los días. ¿Y lo de pegarle patadas a la lata? Pues eso lo haces porque sí, porque te da la gana.

Vamos a detallar entonces la serie de diferentes motivos que tienes para tus comportamientos matutinos. Ya sabes lo que es un «motivo» en el sentido que recibe la palabra en este contexto: es la razón que tienes o al menos crees tener para hacer algo, la explicación más aceptable de tu conducta cuando reflexionas un poco sobre ella. En una palabra: la mejor respuesta que se te ocurre a la pregunta «¿por qué hago eso?». Pues bien, uno de los tipos de motivación que reconoces es el de que yo te mando que hagas tal o cual cosa. A estos motivos les llamaremos *órdenes*. En otras ocasiones el motivo es que sueles hacer siempre ese mismo gesto y ya lo repites casi sin pensar, o también el ver que a tu alrededor todo el mundo se comporta así habitualmente: llamaremos *costumbres* a este juego de motivos. En otros casos —los puntapiés a la lata, por ejemplo— el motivo parece ser la ausencia de motivo, el que te apetece sin más, la pura gana. ¿Estás de acuerdo en que llamemos *caprichos* al por qué de estos comportamientos? Dejo de lado los motivos más crudamente *funcionales*, es decir los que te inducen a aquellos gestos que haces como puro y directo instrumento para conseguir algo: bajar la escalera para llegar a la calle en lugar de saltar por la ventana, coger el autobús para ir al *cole*, utilizar una taza para tomar tu café con leche, etc.

Nos limitaremos a examinar los tres primeros tipos de motivos, es decir las órdenes, las costumbres y los caprichos. Cada uno de esos motivos *inclina* tu conducta en una dirección u otra, explica más o menos tu *pre-*

43

ferencia por hacer lo que haces frente a las otras muchas cosas que podrías hacer. La primera pregunta que se me ocurre plantear sobre ellos es: ¿de qué modo y con cuánta fuerza te obliga a actuar cada uno? Porque no todos tienen el mismo peso en cada ocasión. Levantarte para ir al colegio es más *obligatorio* que lavarte los dientes o ducharte y creo que bastante más que dar patadas a la lata de coca-cola; en cambio, ponerte pantalones o al menos calzoncillos por mucho calor que haga es tan obligatorio como ir al *cole*, ¿no? Lo que quiero decirte es que cada tipo de motivos tiene su propio peso y te condiciona a su modo. Las órdenes, por ejemplo, sacan su fuerza, en parte, del *miedo* que puedes tener a las terribles represalias que tomaré contra ti si no me obedeces; pero también, supongo, al *afecto* y la *confianza* que me tienes y que te lleva a pensar que lo que te mando es para protegerte y mejorarte o, como suele decirse con expresión que te hace torcer el gesto, *por tu bien*. También desde luego porque esperas algún tipo de recompensa si cumples como es debido: paga, regalos, etc. Las costumbres, en cambio, vienen más bien de la *comodidad* de seguir la rutina en ciertas ocasiones y también de tu interés de no contrariar a los otros, es decir de la *presión* de los demás. También en las costumbres hay algo así

como una obediencia a ciertos tipos de órdenes: piensa, por poner otro ejemplo, en las
modas. ¡La cantidad de cazadoras, zapatillas,
chapas, etc., que tienes que ponerte porque
entre tus amigos es costumbre llevarlas y tú
no quieres desentonar!

Las órdenes y las costumbres tienen una
cosa en común: parece que vienen de *fuera*,
que se te imponen sin pedirte permiso. En
cambio, los caprichos te salen de *dentro*, bro-
tan espontáneamente sin que nadie te los
mande ni a nadie en principio creas imitar-
los. Yo supongo que si te pregunto que cuándo te sientes más libre, al cumplir órdenes,
al seguir la costumbre o al hacer tu capricho, me dirás que eres más libre al hacer tu
capricho, porque es una cosa más tuya y
que no depende de nadie más que de ti. Claro que vete a saber: a lo mejor también el
llamado capricho te apetece porque se lo imi-
tas a alguien o quizá brota de una orden
pero *al revés*, por ganas de llevar la contraria, unas ganas que no se te hubieran desper-
tado a ti solo sin el mandato previo que desobedeces... En fin, por el momento vamos a
dejar las cosas aquí, que por hoy ya es lío
suficiente.

Pero antes de acabar recordemos como
despedida otra vez aquel barco griego en la
tormenta al que se refirió Aristóteles. Ya que
empezamos entre olas y truenos bien pode-

45

mos acabar lo mismo, para que el capítulo resulte capicúa. El capitán del barco estaba, cuando lo dejamos, en el trance de arrojar o no la carga por la borda para evitar el naufragio. Desde luego tiene orden de llevar las mercancías a puerto, la costumbre no es precisamente tirarlas al mar y poco le ayudaría seguir sus caprichos dado el berenjenal en que se encuentra. ¿Seguirá sus órdenes aun a riesgo de perder la vida y la de toda su tripulación? ¿Tendrá más miedo a la cólera de sus patronos que al mismo mar furioso? En circunstancias normales puede bastar con hacer lo que le mandan a uno, pero a veces lo más prudente es plantearse hasta qué punto resulta aconsejable obedecer... Después de todo, el capitán no es como las termitas, que tienen que salir en plan *kamikaze* quieran o no porque no les queda otro remedio que «obedecer» los impulsos de su naturaleza.

Y si en la situación en que está las órdenes no le bastan, la costumbre todavía menos. La costumbre sirve para lo corriente, para la rutina de todos los días. ¡Francamente, una tempestad en alta mar no es momento para andarse con rutinas! Tú mismo te pones religiosamente pantalones y calzoncillos todas las mañanas, pero si en caso de incendio no te diera tiempo tampoco te sentirías demasiado culpable. Durante el gran terremoto de México de hace pocos años un amigo mío vio derrumbarse ante sus propios ojos un elevado edificio; acudió a prestar ayuda e intentó sacar de entre los escombros a una de las víctimas, que se resistía inexplicablemente a salir de la trampa de cascotes hasta que confesó: «Es que no llevo nada encima...» ¡Premio especial del jurado a la defensa intempestiva del taparrabos! Tanto conformismo ante la costumbre vigente es un poco morboso, ¿no? Podemos suponer que nuestro capitán griego era un hombre práctico y que la rutina de conservar la carga no era suficiente para determinar su comportamiento en caso de peligro. Ni tampoco para arrojarla, claro está, por mucho que en la mayoría de los casos fuese habitual desprenderse de ella. Cuando las cosas están de veras serias hay que *inventar* y no sencillamente limitarse a seguir la moda o el hábito...

Tampoco parece que sea ocasión propicia para entregarse a los caprichos. Si te dijeran que el capitán de ese barco tiró la carga no porque lo considerase prudente, sino por capricho (o que la conservó en la bodega por el mismo motivo), ¿qué pensarías? Respondo por ti: que estaba un poco *loco*. Arriesgar la fortuna o la vida sin otro móvil que el capricho tiene mucho de chaladura, y si la extravagancia compromete la fortuna o la vida del prójimo merece ser calificada aún más duramente. ¿Cómo podría haber llegado a mandar un barco semejante antojadizo irresponsable? En momentos tempestuosos a la persona sana se le pasan casi todos los caprichitos y no le queda sino el deseo intenso de acertar con la línea de conducta más conveniente, o sea: más racional.

¿Se trata entonces de un simple problema *funcional*, de encontrar el mejor medio para llegar sanos y salvos a puerto? Vamos a suponer que el capitán llega a la conclusión de que para salvarse basta con arrojar *cierto peso* al mar, sea peso en mercancías o sea peso en tripulación. Podría entonces intentar convencer a los marineros de que tirasen por la borda a los cuatro o cinco más inútiles de entre ellos y así de este modo tendrían una buena oportunidad de conservar las ganancias del flete. Desde un punto de vista funcional, a lo mejor era ésta la mejor solución para salvar el pellejo y también para asegurar las ganancias... Sin embargo, algo me resulta *repugnante* en tal decisión y supongo que a ti también. ¿Será porque me han dado la orden de que tales cosas no deben hacerse, o porque no tengo costumbre de hacerlas o simplemente porque no me apetece —tan caprichoso soy— comportarme de esa manera?

Perdona que te deje en un *suspense* digno

de Hitchcok, pero no voy a decirte para acabar qué es lo que a la postre decidió nuestro zarandeado capitán. ¡Ojalá acertase y tuviera ya buen viento hasta volver a casa! La verdad es que cuando pienso en él me doy cuenta de que todos vamos en el mismo barco... Por el momento, nos quedaremos con las preguntas que hemos planteado y esperemos que vientos favorables nos lleven hasta el próximo capítulo, donde volveremos a encontrarlas e intentaremos empezar a responderlas.

Vete leyendo...

«Tanto la virtud como el vicio están en nuestro poder. En efecto, siempre que está en nuestro poder el hacer, lo está también el no hacer, y siempre que está en nuestro poder el no, lo está el sí, de modo que si está en nuestro poder el obrar cuando es bello, lo estará también cuando es vergonzoso, y si está en nuestro poder el no obrar cuando es bello, lo estará, asimismo, para no obrar cuando es vergonzoso» (Aristóteles, *Ética para Nicómaco*).

«En el *arte de vivir*, el hombre es al mismo tiempo el artista y el objeto de su arte, es el escultor y el mármol, el médico y el paciente» (Erich Fromm, *Ética y psicoanálisis*).

«Sólo disponemos de cuatro principios de la moral:
»1) El *filosófico*: haz el bien por el bien mismo, por respeto a la ley.

»2) El *religioso*: hazlo porque es la voluntad de Dios, por amor a Dios.

»3) El *humano*: hazlo porque tu bienestar lo requiere, por amor propio.

»4) El *político*: hazlo porque lo requiere la prosperidad de la sociedad de la que formas parte, por amor a la sociedad y por consideración a ti» (Lichtenberg, *Aforismos*).

«No hemos de preocuparnos de vivir largos años, sino de vivirlos satisfactoriamente; porque vivir largo tiempo depende del destino, vivir satisfactoriamente de tu alma. La vida es larga si es plena; y se hace plena cuando el alma ha recuperado la posesión de su bien propio y ha transferido a sí el dominio de sí misma» (Séneca, *Cartas a Lucilio*).

CAPÍTULO TERCERO

HAZ LO QUE QUIERAS

Decíamos antes que la mayoría de las cosas las hacemos porque nos las mandan (los padres cuando se es joven, los superiores o las leyes cuando se es adulto), porque se acostumbra a hacerlas así (a veces la rutina nos la imponen los demás con su ejemplo y su presión —miedo al ridículo, censura, chismorreo, deseo de aceptación en el grupo...— y otras veces nos la creamos nosotros mismos), porque son un medio para conseguir lo que queremos (como tomar el autobús para ir al colegio) o sencillamente porque nos da la ventolera o el capricho de hacerlas así, sin más ni más. Pero resulta que en ocasiones importantes o cuando nos tomamos lo que vamos a hacer verdaderamente en serio, todas estas motivaciones corrientes resultan insatisfactorias: vamos, que *saben a poco*, como suele decirse.

Cuando tiene uno que salir a exponer el

pellejo junto a las murallas de Troya desafiando el ataque de Aquiles, como hizo Héctor; o cuando hay que decidir entre tirar al mar la carga para salvar a la tripulación o tirar a unos cuantos de la tripulación para salvar la carga; o... en casos semejantes, aunque no sean tan dramáticos (por ejemplo sencillito: ¿debo votar al político que considero mejor para la mayoría del país, aunque perjudique con su subida de impuestos mis intereses personales, o apoyar al que me permite forrarme más a gusto y los demás que espabilen?), ni órdenes ni costumbres bastan y no son cuestiones de capricho. El comandante nazi del campo de concentración al que acusan de una matanza de judíos intenta excusarse diciendo que «cumplió órdenes», pero a mí, sin embargo, no me convence esa justificación; en ciertos países es costumbre no alquilar un piso a negros por su color de piel o a homosexuales por su preferencia amorosa, pero por mucho que sea habitual tal discriminación sigue sin parecerme aceptable; el capricho de irse a pasar unos días en la playa es muy comprensible, pero si uno tiene a un bebé a su cargo y lo deja sin cuidado durante un fin de semana, semejante capricho ya no resulta simpático sino criminal. ¿No opinas lo mismo que yo en estos casos?

Todo esto tiene que ver con la cuestión

de la *libertad*, que es el asunto del que se ocupa propiamente la ética, según creo haberte dicho ya. Libertad es poder decir «sí» o «no»; lo hago o no lo hago, digan lo que digan mis jefes o los demás; esto me conviene y lo quiero, aquello no me conviene y por tanto no lo quiero. Libertad es *decidir*, pero también, no lo olvides, *darte cuenta* de que estás decidiendo. Lo más opuesto a *dejarse llevar*, como podrás comprender. Y para no dejarte llevar no tienes más remedio que intentar pensar al menos dos veces lo que vas a hacer; sí, dos veces, lo siento, aunque te duela la cabeza... La *primera* vez que piensas el motivo de tu acción la respuesta a la pregunta «¿por qué hago esto?» es del tipo de las que hemos estudiado últimamente: lo hago porque me lo mandan, porque es costumbre hacerlo, porque me da la gana. Pero si lo piensas por *segunda* vez, la cosa ya varía. Esto lo hago porque me lo mandan, pero... ¿por qué obedezco lo que me mandan?, ¿por miedo al castigo?, ¿por esperanza de un premio?, ¿no estoy entonces como *esclavizado* por quien me manda? Si obedezco porque quien da las órdenes sabe más que yo, ¿no sería aconsejable que procurara informarme lo suficiente para decidir por mí mismo? ¿Y si me mandan cosas que no me parecen *convenientes*, como cuando le ordenaron al comandante nazi eliminar a los judíos del campo de concentración? ¿Acaso no puede ser algo «malo» —es decir, no conveniente para mí— por mucho que me lo manden, o «bueno» y conveniente aunque nadie me lo ordene?

Lo mismo sucede respecto a las costumbres. Si no pienso lo que hago más que una vez, quizá me baste la respuesta de que actúo así «porque es costumbre». Pero ¿por qué diablos tengo que hacer siempre lo que suele hacerse (o lo que suelo hacer)? ¡Ni que fuera esclavo de quienes me rodean, por muy amigos míos que sean, o de lo que hice ayer, antesdeayer y el mes pasado! Si vivo rodeado de gente que tiene la costumbre de discriminar a los negros y a mí eso no me parece ni medio bien, ¿por qué tengo que imitarles? Si he cogido la costumbre de pedir dinero prestado y no devolverlo nunca, pero cada vez me da más vergüenza hacerlo, ¿por qué no voy a poder cambiar de conducta y empezar desde ahora mismo a ser más legal? ¿Es que acaso una costumbre no puede ser poco conveniente para mí, por muy acostumbrada que sea? Y cuando me interrogo por segunda vez sobre mis caprichos, el resultado es parecido. Muchas veces tengo ganas de hacer cosas que en seguida se vuelven contra mí, de las que me arrepiento luego. En asuntos sin importancia el capricho puede ser aceptable, pero cuando se trata de cosas más serias dejarme llevar por él, sin reflexionar si se trata de un capricho conveniente o inconveniente, puede resultar muy poco aconsejable, hasta peligroso: el capricho de cruzar siempre los semáforos en rojo a lo mejor resulta una o dos veces divertido pero ¿llegaré a viejo si me empeño en hacerlo día tras día?

En resumidas cuentas: puede haber órdenes, costumbres y caprichos que sean motivos adecuados para obrar, pero en otros casos no tiene por qué ser así. Sería un poco idiota querer llevar la contraria a todas las órdenes y a todas las costumbres, como también a todos los caprichos, porque a veces resultarán convenientes o agradables. *Pero nunca una acción es buena sólo por ser una orden, una costumbre o un capricho.* Para saber si algo me resulta de veras conveniente o no tendré que examinar lo que hago más a fondo, razonando por mí mismo. Nadie puede ser libre en mi lugar, es decir: nadie puede dispensarme de elegir y de buscar por mí mismo. Cuando se es un niño pequeño, inmaduro, con poco conocimiento de la vida y de la realidad, basta con la obediencia, la rutina o el caprichito. Pero es porque todavía se está dependiendo de alguien, en manos de otro que vela por nosotros. Luego hay que hacerse adulto, es decir, capaz de *inventar* en cierto modo la propia vida y no simplemente de vivir la que otros han inventado para uno. Naturalmente, no podemos inventarnos del todo porque no vivimos solos y muchas cosas se nos imponen queramos o no (acuérdate de que el pobre capitán no eligió padecer una tormenta en alta mar ni Aquiles le pidió a Héctor permiso para atacar Troya...). Pero entre las órdenes que se nos dan, entre las costumbres que nos rodean o nos creamos, entre los caprichos que nos asaltan, tendremos que aprender a elegir por nosotros mismos. No habrá más remedio, para ser hombres y no borregos (con perdón de los borregos), que pensar dos veces lo que hacemos. Y si me apuras, hasta tres y cuatro veces en ocasiones señaladas.

La palabra «moral» etimológicamente tiene que ver con las costumbres, pues eso precisamente es lo que significa la voz latina *mores*, y también con las órdenes, pues la mayoría de los preceptos morales suenan así como «debes hacer tal cosa» o «ni se te ocurra hacer tal otra». Sin embargo, hay costumbres y órdenes —como ya hemos visto— que pueden ser *malas*, o sea «inmorales», por muy ordenadas y acostumbradas que se nos presenten. Si queremos profundizar en la moral de verdad, si queremos aprender en serio cómo emplear bien la libertad que tenemos (y en este aprendizaje consiste precisamente la «moral» o «ética» de la que estamos hablando aquí), más vale dejarse de órdenes, costumbres y caprichos. Lo primero que hay que dejar claro es que la ética de un hombre libre nada tiene que ver con los castigos ni los premios repartidos por la autoridad que sea, autoridad humana o divina, para el caso es igual. El que no hace más que huir del castigo y buscar la recompensa que dispensan otros, según normas establecidas por ellos, no es mejor que un pobre esclavo. A un niño quizá le basten el palo y la zanahoria como guías de su conducta, pero para alguien crecidito es más bien triste seguir con esa mentalidad. Hay que orientarse de otro modo. Por cierto, una aclaración terminológica. Aunque yo voy a utilizar las palabras «moral» y «ética» como equivalentes, desde un punto de vista técnico (perdona que me ponga más profesoral que de costumbre) no tienen idéntico significado. «Moral» es el conjunto de comportamientos y normas que tú, yo y algunos de quienes nos rodean solemos aceptar como válidos; «ética» es la reflexión sobre *por qué* los consideramos válidos y la comparación con otras «morales» que tienen personas diferentes. Pero en fin, aquí seguiré usando una u otra palabra indistintamente, siempre como *arte de vivir*. Que me perdone la academia...

Te recuerdo que las palabras «bueno» y

«malo» no sólo se aplican a comportamientos morales, ni siquiera sólo a personas. Se dice, por ejemplo, que Maradona o Butragueño son futbolistas muy buenos, sin que ese calificativo tenga nada que ver con su tendencia a ayudar al prójimo fuera del estadio o su propensión a decir siempre la verdad. Son buenos en cuanto futbolistas y como futbolistas, sin que entremos en averiguaciones sobre su vida privada. Y también puede decirse que una moto es muy buena sin que ello implique que la tomamos por la Santa Teresa de las motos: nos referimos a que funciona estupendamente y que tiene todas las ventajas que a una moto pueden pedirse. En cuestión de futbolistas o de motos, lo «bueno» —es decir, lo que conviene— está bastante claro. Seguro que si te pregunto me explicas muy bien cuáles son los requisitos necesarios para que algo merezca calificación de sobresaliente en el terreno de juego o en la carretera. Y digo yo: ¿por qué no intentamos definir del mismo modo lo que se necesita para ser un *hombre* bueno? ¿No nos resolvería eso todos los problemas que nos estamos planteando desde hace ya bastantes páginas?

No es cosa tan fácil, sin embargo. Respecto a los buenos futbolistas, las buenas motos, los buenos caballos de carreras, etc., la mayoría de la gente suele estar de acuerdo, pero cuando se trata de determinar si alguien es bueno o malo en general, como ser humano, las opiniones varían mucho. Ahí tienes, por ejemplo, el caso de Purita: su mamá en casa la tiene por el no va más de la bondad, porque es obediente y modosita, pero en clase todo el mundo la detesta porque es chismosa y cizañera. Seguro que para sus superiores el oficial nazi que gaseaba judíos en Auschwitz era bueno y como es debido, pero los judíos debían tener sobre él una opinión diferente. A veces llamarle a alguien «bueno» no indica nada bueno: hasta el punto de que suelen decirse cosas como «Fulanito es muy bueno, ¡el pobre!» El poeta español Antonio Machado era consciente de esta ambigüedad y en su autobiografía poética escribió: «Soy en el buen sentido de la palabra bueno...» Se refería a que, en muchos casos, llamarle a uno «bueno» no indica más que docilidad, tendencia a no llevar la contraria y a no causar problemas, prestarse a cambiar los discos mientras los demás bailan, cosas así.

Para unos, ser bueno significará ser resignado y paciente, pero otros llamarán bueno a la persona emprendedora, original, que no se acobarda a la hora de decir lo que piensa aunque pueda molestar a alguien. En países como Sudáfrica, por ejemplo, unos tendrán por bueno al negro que no da la lata y se conforma con el *apartheid*, mientras que otros no llamarán así más que al que sigue a Nelson Mandela. ¿Y sabes por qué no resulta sencillo decir cuándo un ser humano es «bueno» y cuándo no lo es? Porque no sabemos *para que sirven* los seres humanos. Un futbolista sirve para jugar al fútbol de tal modo que ayude a ganar a su equipo y meta goles al contrario; una moto sirve para trasladarnos de modo veloz, estable, resistente... Sabemos cuándo un especialista en algo o cuándo un instrumento *funcionan* como es debido porque tenemos idea del servicio que deben prestar, de lo que se espera de ellos. Pero si tomamos al ser humano en general la cosa se complica: a los humanos se nos reclama a veces resignación y a veces rebeldía, a veces iniciativa y a veces obediencia, a veces generosidad y otras previsión del futuro, etc. No es fácil ni siquiera determinar una virtud cualquiera: que un futbolista meta un gol en la portería contraria sin cometer falta siempre es bueno, pero decir la verdad puede no serlo. ¿Llamarías «bueno» a quien le dice por crueldad al moribundo que va a morir o a quien delata dónde se esconde la víctima al asesino que quiere matarla? Los oficios y los instrumentos responden a unas normas de utilidad bastante claras, establecidas desde fuera: si se las cumple, bien; si no, mal y se acabó. No se pide otra cosa. Nadie exige a un futbolista —para ser buen futbolista, no buen ser humano— que sea caritativo o veraz; nadie le pide a una moto, para ser buena moto, que sirva para clavar clavos. Pero cuando se considera a los humanos en general la cosa no está tan clara, porque no hay un único *reglamento* para ser buen humano ni el hombre es *instrumento* para conseguir nada.

Se puede ser buen hombre (y buena mujer, claro) de muchas maneras y las opiniones que juzgan los comportamientos suelen variar según las circunstancias. Por eso decimos a veces que Fulano o Menganita son buenos «a su modo». Admitimos así que hay muchas formas de serlo y que la cuestión depende del ámbito en que se mueve cada cual. De modo que ya ves que *desde fuera* no es fácil determinar quién es bueno y quién malo, quién hace lo conveniente y quién no. Habría que estudiar no sólo todas las circunstancias de cada caso, sino hasta las *intenciones* que mueven a cada uno. Porque podría pasar que alguien hubiese pretendido hacer algo malo y le saliera un resultado aparentemente bueno por carambola. Y al que hace lo bueno y conveniente por chiripa no le llamaríamos «bueno», ¿verdad? También al revés: con la mejor voluntad del mundo alguien podría provocar un desastre y ser tenido por monstruo sin culpa suya. Me parece que por este camino sacaremos poco en limpio, lo siento.

Pero si ya hemos dicho que ni órdenes, ni costumbres ni caprichos bastan para guiarnos en esto de la ética y ahora resulta que no hay un claro reglamento que enseñe a ser hombre bueno y a funcionar siempre como tal, ¿cómo nos las arreglaremos? Voy a contestarte algo que de seguro te sorprende y quizá hasta te escandalice. Un divertidísimo escritor francés del siglo XVI, François Rabelais, contó en una de las primeras novelas europeas las aventuras del gigante Gargantúa y su hijo Pantagruel. Muchas cosas podría contarte de ese libro, pero prefiero que antes o después te decidas a leerlo por ti mismo. Sólo te diré que en una ocasión Gargantúa decide fundar una orden más o menos religiosa e instalarla en una abadía, la abadía de Theleme, sobre cuya puerta está escrito este único precepto: «Haz lo que quieras.» Y todos los habitantes de esa santa casa no hacen precisamente más que eso, lo que quieren. ¿Qué te parecería si ahora te digo que a la puerta de la ética bien entendida no está escrita más que esa misma consigna: *haz lo que quieras*? A lo mejor te indignas conmigo: ¡vaya, pues sí que es *moral* la conclusión a la que hemos llegado!, ¡la que se armaría si todo el mundo hiciese sin más ni más lo que quisiera!, ¿para eso hemos perdido tanto tiempo y nos hemos comido tanto el coco? Espera, espera, no te enfades. Dame otra oportunidad: hazme el favor de pasar al capítulo siguiente...

Vete leyendo...

«Los congregados en Theleme empleaban su vida, no en atenerse a leyes, reglas o estatutos, sino en ejecutar su voluntad y libre albedrío. Levantábanse del lecho cuando les parecía bien, y bebían, comían, trabajaban y dormían cuando sentían deseo de hacerlo. Nadie les despertaba, ni le forzaba a beber, o comer, ni a nada.

»Así lo había dispuesto Gargantúa. La única regla de la Orden era ésta:

HAZ LO QUE QUIERAS

»Y era razonable, porque las gentes libres, bien nacidas y bien educadas, cuando tratan con personas honradas, sienten por naturaleza el instinto y estímulo de huir del vicio y acogerse a la virtud. Y es a esto a lo que llaman honor.

»Pero cuando las mismas gentes se ven refrenadas y constreñidas, tienden a rebelarse y romper el yugo que las abruma. Pues todos nos inclinamos siempre a buscar lo prohibido y a codiciar lo que se nos niega» (François Rebelais, *Gargantúa y Pantagruel*).

«La ética *humanista*, en contraste con la ética *autoritaria*, puede distinguirse de ella por un criterio formal y otro material. Formalmente se basa en el principio de que sólo el hombre por sí mismo puede determinar el criterio sobre virtud y pecado, y no una autoridad que lo trascienda. Materialmente se basa en el principio de que lo "bueno" es aquello que es bueno para el hombre y "malo" lo que le es nocivo, siendo *el único criterio de valor ético el bienestar del hombre*» (Erich Fromm, *Ética y psicoanálisis*).

«Pero, aunque la razón basta, cuando está plenamente desarrollada y perfeccionada, para instruirnos de las tendencias dañosas o útiles de las cualidades y de las acciones, no basta, por sí misma, para producir la censura o la aprobación moral. La utilidad no es más que una tendencia hacia un cierto fin; si el fin nos fuese totalmente indiferente, sentiríamos la misma indiferencia por los medios. Es preciso necesariamente que un *sentimiento* se manifieste aquí, para hacernos preferir las tendencias útiles a las tendencias dañinas. Ese sentimiento no puede ser más que una simpatía por la felicidad de los hombres o un eco de su desdicha, puesto que éstos son los diferentes fines que la virtud y el vicio tienen tendencia a promover. Así pues, la razón nos instruye acerca de las diversas tendencias de las acciones y la humanidad hace una distinción a favor de las tendencias útiles y beneficiosas» (David Hume, *Investigación sobre los principios de la moral*).

Capítulo cuarto

DATE LA BUENA VIDA

¿Qué pretendo decirte poniendo un «haz lo que quieras» como lema fundamental de esa ética hacia la que vamos tanteando? Pues sencillamente (aunque luego resultará que no es tan sencillo, me temo) que hay que dejarse de órdenes y costumbres, de premios y castigos, en una palabra de cuanto quiere dirigirte desde fuera, y que tienes que plantearte todo este asunto desde ti mismo, desde el fuero interno de tu voluntad. No le preguntes a nadie qué es lo que debes hacer con tu vida: pregúntatelo a ti mismo. Si deseas saber en qué puedes emplear mejor tu libertad, no la pierdas poniéndote ya desde el principio al servicio de otro o de otros, por buenos, sabios y respetables que sean: interroga sobre el uso de tu libertad... a la libertad misma.

Claro, como eres chico listo puede que te estés dando ya cuenta de que aquí hay una cierta contradicción. Si te digo «haz lo que quieras» parece que te estoy dando de todas formas una orden, «haz eso y no lo otro», aunque sea la orden de que actúes libremente. ¡Vaya orden más complicada, cuando se la examina de cerca! Si la cumples, la desobedeces (porque no haces lo que quieres, sino lo que quiero yo que te lo mando); si la desobedeces, la cumples (porque haces lo que tú quieres en lugar de lo que yo te mando... ¡pero eso es precisamente lo que te estoy mandando!). Créeme, no pretendo meterte en un rompecabezas como los que aparecen en la sección de pasatiempos de los periódicos. Aunque procure decirte todo esto sonriendo para que no nos aburramos más de lo debido, el asunto es serio: no se trata de *pasar* el tiempo, sino de *vivirlo* bien. La aparente contradicción que encierra ese «haz lo que quieras» no es sino un reflejo del problema esencial de la libertad misma: a saber, que no somos libres de no ser libres, que no tenemos más remedio que serlo. ¿Y si me dices que ya está bien, que estás harto y que no quieres seguir siendo libre? ¿Y si decides entregarte como esclavo al mejor postor o jurar que obedecerás en todo y para siempre a tal o cual tirano? Pues lo harás porque quieres, en uso de tu libertad y aunque obedezcas a otro o te dejes llevar por la masa seguirás actuando tal como prefieres: no renunciarás a elegir, sino que habrás elegido no elegir por ti mismo. Por eso un filósofo francés de nuestro siglo, Jean-Paul Sartre, dijo que «estamos condenados a la libertad». Para esa condena, no hay indulto que valga...

De modo que mi «haz lo que quieras» no es más que una forma de decirte que te tomes en serio el problema de tu libertad, lo de que nadie puede dispensarte de la responsabilidad *creadora* de escoger tu camino. No te preguntes con demasiado morbo si «merece la pena» todo este jaleo de la libertad, porque quieras o no eres libre, quieras o no tienes que *querer*. Aunque digas que no quieres saber nada de estos asuntos tan fastidiosos y que te deje en paz, también estarás queriendo... queriendo no saber nada, queriendo que te dejen en paz aun a costa de aborregarte un poco o un mucho. ¡Son las cosas del querer, amigo mío, como dice la copla! Pero no confundamos este «haz lo que quieras» con los *caprichos* de que hemos hablado antes. Una cosa es que hagas «lo que quieras» y otra bien distinta que hagas «lo primero que te venga en gana». No digo que en ciertas ocasiones no pueda bastar la pura y simple gana de algo: al elegir qué vas a comer en un restaurante, por ejemplo. Ya que afortunadamente tienes buen estómago y no te preocupa engordar, pues venga, pide lo que te dé la gana... Pero cuidado, que a veces con la «gana» no se gana sino que se pierde. Ejemplo al canto.

No sé si has leído mucho la Biblia. Está llena de cosas interesantes y no hace falta ser muy religioso —ya sabes que yo lo soy más bien poco— para apreciarlas. En el primero de sus libros, el Génesis, se cuenta la historia de Esaú y Jacob, hijos de Isaac. Eran hermanos gemelos, pero Esaú había salido primero del vientre de su madre, lo que le concedía el derecho de primogenitura: ser primogénito en aquellos tiempos no era cosa sin importancia, porque significaba estar destinado a heredar todas las posesiones y privilegios del padre. A Esaú le gustaba ir de caza y correr aventuras, mientras que Jacob prefería quedarse en casita, preparando de vez en cuando algunas delicias culinarias. Cierto día volvió Esaú del campo cansado y hambriento. Jacob había preparado un suculento potaje de lentejas y a su hermano, nada más llegarle el olorcillo del guiso, se le hizo la boca agua. Le entraron muchas ganas de comerlo y pidió a Jacob que le invitara. El hermano cocinero le dijo que con mucho gusto pero no gratis sino a cambio del derecho de primogenitura. Esaú pensó: «Ahora lo que me apetecen son las lentejas. Lo de heredar a mi padre será dentro de mucho tiempo. ¡Quién sabe, a lo mejor me muero yo antes que él!» Y accedió a cambiar sus futuros derechos de primogénito por las sabrosas lentejas del presente. ¡Debían oler estupendamente esas lentejas! Ni que decir tiene que más tarde, ya repleta la panza, se arrepintió del mal negocio que había hecho, lo que provocó bastantes problemas entre los hermanos (dicho sea con el respeto debido, siempre me ha dado la impresión de que Jacob era un pájaro de mucho cuidado). Pero si quieres saber cómo acaba la historia, léete el Génesis. Para lo que aquí nos interesa ejemplificar basta con lo que te he contado.

Como te veo un poco sublevado, no me extrañaría que intentaras volver esta historia contra lo que te vengo diciendo: «¿No me recomendabas tú eso tan bonito de "haz lo que quieras"? Pues ahí tienes: Esaú quería potaje, se empeñó en conseguirlo y al final se quedó sin herencia. ¡Menudo éxito!» Sí, claro, pero... ¿eran esas lentejas lo que Esaú quería *de veras* o simplemente lo que le apetecía en aquel momento? Después de todo, ser el primogénito era entonces una cosa muy rentable y en cambio las lentejas ya se sabe: si quieres las tomas y si no las dejas... Es lógico pensar que lo que Esaú quería en el fondo era la primogenitura, un derecho destinado a mejorarle mucho la vida en un plazo más o menos próximo. Por supuesto, también le apetecía comer potaje, pero si se hubiese molestado en pensar un poco se habría dado cuenta de que este segundo deseo podía esperar un rato con tal de no estropear sus posibilidades de conseguir lo fundamental. A veces los hombres queremos cosas contradictorias que entran en conflicto unas con otras. Es importante ser capaz de establecer prioridades y de imponer una cierta jerarquía entre lo que de pronto me apetece y lo que en el fondo, a la larga, quiero. Y si no, que se lo pregunten a Esaú...

En el cuento bíblico hay un detalle importante. Lo que determina a Esaú para que elija el potaje presente y renuncie a la herencia futura es la sombra de la muerte o, si prefieres, el desánimo producido por la brevedad de la vida. «Como sé que me voy a morir de todos modos y a lo mejor antes que mi padre... ¿para qué molestarme en dar más vueltas a lo que me conviene? ¡Ahora quiero lentejas y mañana estaré muerto, de modo que vengan las lentejas y se acabó!» Parece como si a Esaú la certeza de la muerte le llevase a pensar que la vida *ya no vale la pena*, que todo da igual. Pero lo que hace que todo dé igual no es la vida, sino la muerte. Fíjate: *por miedo a la muerte, Esaú decide vivir como si ya estuviese muerto y todo diese igual.* La vida está hecha de tiempo, nuestro presente está lleno de recuerdos y esperanzas, pero Esaú vive como si para él ya no hubiese otra realidad que el aroma de lentejas que le llega ahorita mismo a la nariz, sin ayer ni mañana. Aún más: nuestra vida está hecha de relaciones con los demás —somos padres, hijos, hermanos, amigos o enemigos, herederos o heredados, etc.—, pero Esaú decide que las lentejas (que son una *cosa*, no una *persona*) cuentan más para él que esas vinculaciones con otros que le hacen ser quien es. Y ahora una pregunta: ¿cumple Esaú realmente lo que quiere o es que la muerte le tiene como *hipnotizado*, paralizando y estropeando su querer?

Dejemos a Esaú con sus caprichos culinarios y sus líos de familia. Volvamos a tu caso, que es el que aquí nos interesa. Si te digo que hagas lo que quieras, lo primero que parece oportuno hacer es que pienses con detenimiento y a fondo qué es lo que quieres. Sin duda te apetecen muchas cosas, a menudo contradictorias, como le pasa a todo el mundo: quieres tener una moto pero no quieres romperte la crisma por la carretera, quieres tener amigos pero sin perder tu independencia, quieres tener dinero pero no quieres avasallar al prójimo para conseguirlo, quieres saber cosas y por ello comprendes que hay que estudiar pero también quieres divertirte, quieres que yo no te dé la lata y te deje vivir a tu aire pero también que esté ahí para ayudarte cuando lo necesites, etc. En una palabra, si tuvieras que resumir todo esto y poner en palabras sinceramente tu deseo global de fondo, me dirías: «Mira, papi, lo que quiero es *darme la buena vida.*» ¡Bravo! ¡Premio para el caballero! Eso mismito es lo que yo quería aconsejarte: cuando te dije «haz lo que quieras» lo que en el fondo pretendía recomendarte es que te atrevieras a darte la buena vida. Y no hagas caso a los tristes ni a los beatos, con perdón: la ética no es más que el intento racional de averiguar cómo vivir mejor. Si merece la pena interesarse por la ética es porque nos gusta la buena vida. Sólo quien ha nacido para esclavo o quien tiene tanto miedo a la muerte que cree que todo da igual se dedica a las lentejas y vive de cualquier manera...

Quieres darte la buena vida: estupendo. Pero también quieres que esa buena vida no sea la buena vida de una coliflor o de un escarabajo, con todo mi respeto para ambas especies, sino una buena vida *humana*. Es lo que te corresponde, creo yo. Y estoy seguro de que a ello no renunciarías por nada del mundo. Ser humano, ya lo hemos indicado antes, consiste principalmente en tener relaciones con los otros seres humanos. Si pudieras tener muchísimo dinero, una casa más suntuosa que un palacio de las mil y una noches, las mejores ropas, los más exquisitos alimentos (¡muchísimas lentejas!), los más sofisticados aparatos, etc., pero todo ello a costa de no volver a ver ni a ser visto por ningún ser humano jamás, ¿estarías contento? ¿Cuánto tiempo podrías vivir así sin volverte *loco*? ¿No es la mayor de las locuras querer las cosas *a costa* de la relación con las personas? ¡Pero si precisamente la gracia de todas esas cosas estriba en que te permiten —o parecen permitirte— relacionarte más favorablemente con los demás! Por medio del dinero se espera poder deslumbrar o comprar a los otros; las ropas son para gustarles o para que nos envidien; y lo mismo la buena casa, los mejores vinos, etcétera. Y no digamos los aparatos: el vídeo y la tele son para verles mejor, el *compact* para oírles mejor y así sucesivamente. Muy pocas cosas conservan su gracia en la soledad; y si la soledad es completa y definitiva, todas las cosas se amargan irremediablemente. La buena vida humana es buena vida *entre seres humanos* o de lo contrario puede que sea vida, pero no será ni buena ni humana. ¿Empiezas a ver por dónde voy?

Las cosas pueden ser bonitas y útiles, los animales (por lo menos algunos) resultan simpáticos, pero los hombres lo que queremos ser es humanos, no herramientas ni bichos. Y queremos también ser *tratados* como humanos, porque eso de la humanidad depende en buena medida de lo que los unos hacemos con los otros. Me explico: el melocotón nace melocotón, el leopardo viene ya al mundo como leopardo, pero el hombre no nace ya hombre del todo ni nunca llega a serlo si los demás no le ayudan. ¿Por qué? Porque el hombre no es solamente una realidad biológica, natural (como los melocotones o los leopardos), sino también una realidad *cultural*. No hay humanidad sin aprendizaje cultural y para empezar sin la base de toda cultura (y fundamento por tanto de nuestra humanidad): el *lenguaje*. El mundo en el que vivimos los humanos es un mundo lingüístico, una realidad de símbolos y leyes sin la cual no sólo seríamos incapaces de comunicarnos entre nosotros sino también de captar la *significación* de lo que nos rodea. Pero nadie puede aprender a hablar por sí solo (como podría aprender a comer por sí solo o a mear —con perdón— por sí solo), porque el lenguaje no es una función natural y biológica del hombre (aunque tenga su base en nuestra condición biológica, claro está) sino una creación cultural que heredamos y aprendemos de otros hombres.

Por eso hablar a alguien y escucharle es tratarle como a una persona, por lo menos empezar a darle un trato humano. Es sólo un primer paso, desde luego, porque la cultura dentro de la cual nos humanizamos unos a otros parte del lenguaje pero no es simplemente lenguaje. Hay otras formas de demostrar que nos *reconocemos* como humanos, es decir, estilos de respeto y de miramientos humanizadores que tenemos unos para con otros. Todos queremos que se nos trate así y si no, protestamos. Por eso las chicas se quejan de que se las trate como mujeres «objeto», es decir, simples adornos o herramientas; y por eso cuando insultamos a alguien le llamamos «¡animal!», como advirtiéndole que está rompiendo el trato debido entre hombres y que como siga así podemos pagarle con la misma moneda. Lo más importante de todo esto me parece lo siguiente: que la humanización (es decir, lo que nos convierte en humanos, en lo que queremos ser) es un proceso *recíproco* (como el propio lenguaje, ¿te das cuenta?). Para que los demás puedan hacerme humano, tengo yo que hacerles humanos a ellos; si para mí todos son como cosas o como bestias, yo no seré mejor que una cosa o una bestia tampoco. Por eso *darse la buena vida* no puede ser algo muy distinto a fin de cuentas de *dar la buena vida*. Piénsalo un poco, por favor.

Más adelante seguiremos con esta cuestión. Ahora, para concluir este capítulo de modo más relajado, te propongo que nos vayamos al cine. Podemos ver, si quieres, una hermosísima película dirigida e interpretada por Orson Welles: *Ciudadano Kane*. Te la recuerdo brevemente, Kane es un multimillonario que con pocos escrúpulos ha reunido en su palacio de Xanadú una enorme colección de todas las cosas hermosas y caras del mundo. Tiene de todo, sin duda, y a todos los que le rodean les utiliza para sus fines, como simples instrumentos de su ambición. Al final de su vida, pasea solo por los salones de su mansión, llenos de espejos que le devuelven mil veces su propia imagen de solitario: sólo su imagen le hace compañía. Al fin muere, murmurando una palabra: «¡Rosebud!» Un periodista intenta adivinar el significado de este último gemido, pero no lo logra. En realidad, «Rosebud» es el nombre escrito en un trineo con el que Kane jugaba cuando niño, en la época en que aún vivía rodeado de afecto y devolviendo afecto a quienes le rodeaban. Todas sus riquezas y todo el poder acumulado sobre los otros no habían podido comprarle nada mejor que aquel recuerdo infantil. Ese trineo, símbolo de dulces relaciones humanas, era en verdad lo que Kane quería, la *buena vida* que había sacrificado para conseguir millones de cosas que en realidad no le servían para nada. Y sin embargo la mayoría le envidiaba... Venga, vámonos al cine: mañana seguiremos.

Vete leyendo...

«Y guisó Jacob un potaje; y volviendo Esaú del campo, cansado, dijo a Jacob: Te ruego que me des a comer de ese guiso rojo, pues estoy muy cansado.

»Y Jacob respondió: Véndeme en este día tu primogenitura.

»Entonces dijo Esaú: He aquí que yo me voy a morir; ¿para qué, pues, me servirá la primogenitura?

»Y dijo Jacob: Júramelo en este día. Y le juró, y vendió a Jacob su primogenitura.

»Entonces Jacob dio a Esaú pan y del guisado de las lentejas; y él comió y bebió, se levantó y se fue. Así menospreció Esaú la primogenitura» (*Génesis*, XXV, 27 a 34).

«Quizá el hombre es malo porque, durante toda la vida, está esperando morir: y así muere mil veces en la muerte de los otros y de las cosas.

»Pues todo animal consciente de estar en peligro de muerte se vuelve loco. Loco miedoso, loco astuto, loco malvado, loco que huye, loco servil, loco furioso, loco odiador, loco embrollador, loco asesino» (Tony Duvert, *Abecedario malévolo*).

«Un hombre libre en nada piensa menos que en la muerte, y su sabiduría no es una meditación de la muerte, sino de la vida» (Spinoza, *Ética*).

«Hombre libre es el que quiere sin la arrogancia de lo arbitrario. Cree en la realidad, es decir, en el lazo real que une la dualidad real del Yo y del Tú. Cree en el Destino y cree que el Destino le necesita... Pues lo que ha de acontecer no acontecerá si no está resuelto a querer lo que es capaz de querer» (Martin Buber, *Yo y tú*).

«Ser capaz de prestarse atención a uno mismo es requisito previo para tener la capacidad de prestar atención a los demás; el sentirse a gusto con uno mismo es la condición necesaria para relacionarse con otros» (Erich Fromm, *Ética y psicoanálisis*).

Capítulo quinto

¡DESPIERTA, BABY!

Breve resumen de lo anteriormente publicado. El cazador Esaú, convencido de que para cuatro días que va a vivir uno todo da igual, sigue el consejo de su barriga y renuncia a su derecho de primogenitura por un buen plato de lentejas (Jacob fue generoso al menos en eso y le dejó repetir dos veces). El ciudadano Kane, por su parte, se dedicó durante muchos años a vender a todas las personas para poder comprarse todas las cosas; al final de su vida reconoce que cambiaría si pudiera su almacén repleto de cosas carísimas por la única cosa humilde —un viejo trineo— que le recordaba a cierta persona: a él mismo, antes de dedicarse a la compraventa, cuando prefería amar y ser amado que poseer o dominar.

Tanto Esaú como Kane estaban convencidos de hacer *lo que querían*, pero ninguno de ellos parece que consiguió darse *una bue-*

na vida. Y sin embargo, si se les hubiera preguntado qué es lo que deseaban de veras, habrían respondido lo mismo que tú (o que yo, claro): «Quiero darme la buena vida.» Conclusión: está bastante claro lo que queremos (darnos la buena vida) pero no lo está tanto en que consiste eso de «la buena vida». Y es que querer la buena vida no es un querer cualquiera, como cuando uno quiere lentejas, cuadros, electrodomésticos o dinero. Todos estos quereres son por decirlo así *simples*, se fijan en un solo aspecto de la realidad: no tienen perspectiva de conjunto. No hay nada malo en querer lentejas cuando se tiene hambre, desde luego: pero en el mundo hay otras cosas, otras relaciones, fidelidades debidas al pasado y esperanzas suscitadas por lo venidero, no sé, mucho más, todo lo que se te ocurra. En una palabra, no sólo de lentejas vive el hombre. Por conseguir sus lentejas, Esaú sacrificó demasiados aspectos importantes de su vida, la simplificó más de lo debido. Actuó, como ya te he dicho, bajo el peso de la inminencia de la muerte. La muerte es una gran simplificadora: cuando estás a punto de estirar la pata importan muy pocas cosas (la medicina que puede salvarte, el aire que aún consiente en llenarte los pulmones una vez más...). La vida, en cambio, es siempre complejidad y casi siempre *complicaciones*. Si rehúyes toda complicación y buscas la gran simpleza (¡vengan las lentejas!) no creas que quieres vivir más y mejor sino morirte de una vez. Y hemos dicho que lo que realmente deseamos es la buena vida, no la pronta muerte. De modo que Esaú no nos sirve como maestro.

También Kane simplificaba a su modo la cuestión. A diferencia de Esaú, no era derrochador, sino acumulador y ambicioso. Lo que quería era poder para manejar a los hombres y dinero para comprar cosas, muchas cosas bonitas y seguramente útiles. No tengo nada, figúrate, contra intentar conseguir dinero ni contra la afición a las cosas hermosas o útiles. No me fío de esa gente que dice que no se interesa por el dinero y que asegura no necesitar nada de nada. A lo mejor estoy hecho de barro muy mal cocido, pero no me hace ninguna gracia quedarme sin blanca y si mañana los ladrones me desvalijaran la casa y se llevaran mis libros (temo que poco más podrían llevarse) me sentaría como un tiro. Sin embargo, el deseo de tener más y más (dinero, cosas...) tampoco me parece del todo sano. La verdad es que las cosas que tenemos nos tienen ellas también a nosotros en contrapartida: lo que poseemos nos posee. Me explico. Un día, un sabio budista le decía a su discípulo esto mismo que te estoy diciendo y el discípulo le miraba con la misma cara rara («este tío está *chalao*») con la que a lo mejor tú lees esta página. Entonces el sabio preguntó al discípulo: «¿Qué es lo que más te gusta de esta habitación?» El avispado alumno señaló una estupenda copa de oro y marfil que debía costar su buena pasta. «Bueno, cógela», dijo el sabio, y el muchacho, sin esperar a que se lo dijeran dos veces, agarró firmemente la joyita con la mano derecha. «No se te ocurra soltarla, ¿eh?», observó el maestro con cierta guasa; y después añadió: «¿Y no hay ninguna otra cosa que te guste también?» El discípulo reconoció que la bolsa llena de dinerito contante y sonante que estaba sobre la mesa tampoco le producía repugnancia. «Pues nada, ¡a por ella!», le animó el otro. Y el chico empuñó fervorosamente la bolsa con su mano izquierda. «Y ahora ¿qué?», preguntó al maestro con cierto nerviosismo. Y el sabio repuso: «Ahora ¡ráscate!» No había manera, claro. ¡Y mira que puede llegar uno a necesitar rascarse cuando le pica alguna parte del cuerpo... o aun del alma! Con las manos ocupadas, no puede uno rascarse a gusto ni hacer otros muchos gestos. Lo que tenemos muy agarrado nos agarra también a su modo... o sea que más vale tener cuidado con no pasarse. En cierta forma, eso es lo que le ocurrió a Kane: tenía las manos y el alma tan ocupadas con sus posesiones que de pronto sintió un extraño picor y no supo con qué rascarse.

La vida es más complicada de lo que Kane suponía, porque las manos no sólo sirven par coger sino también para rascarse o para acariciar. Pero la equivocación fundamental de ese personaje, si el que se equivoca no soy yo, fue otra. Obsesionado por conseguir cosas y dinero, trató a la gente como si también fueran cosas. Consideraba que en eso consiste tener *poder* sobre ellas. Grave simplificación: la mayor complejidad de la vida es precisamente ésa, que las personas no son cosas. Al principio no encontró dificultades: las cosas se compran y se venden y Kane compró y vendió también personas. De momento no le pareció que hubiese gran diferencia. Las cosas se usan mientras sirven y luego se tiran: Kane hizo lo mismo con los que le rodeaban y se diría que todo marchaba bien. Tal como poseía las cosas, Kane se propuso poseer personas, dominarlas, manejarlas a su gusto. Así se portó con sus amantes, con sus amigos, con sus empleados, con sus rivales políticos, con todo bicho viviente. Desde luego hizo mucho daño a los demás, pero lo peor desde su punto de vista (el punto de vista de alguien que suponemos quería darse «buena vida», ya sabes) es que se fastidió seriamente a sí mismo. Intentaré aclararte esto porque me parece de la mayor importancia.

Desengáñate: de una cosa —aunque sea

la mejor cosa del mundo— sólo pueden sacarse... *cosas*. Nadie es capaz de dar lo que no tiene, ¿verdad?, ni mucho menos nada puede dar más de lo que es. Las lentejas son útiles para quitar el hambre pero no ayudan a aprender francés, por ejemplo; el dinero, por su parte, sirve para casi todo y sin embargo no puede comprar una verdadera amistad (a fuerza de pasta se consigue servilismo, compañía de gorrones o sexo mercenario, pero nada más). Vamos, que un vídeo le puede prestar a otro vídeo una pieza pero no puede darle un beso... Si los hombres fuésemos simples cosas, con lo que las cosas pueden darnos nos bastaría. Pero ésa es la complicación de que te hablaba: *que como no somos puras cosas, necesitamos «cosas» que las cosas no tienen.* Cuando tratamos a los demás como cosas, a la manera en que lo hacía Kane, lo que recibimos de ellos son también cosas: al estrujarlos sueltan dinero, nos sirven (como si fueran instrumentos mecánicos), salen, entran, se frotan contra nosotros o sonríen cuando apretamos el debido botón... Pero de este modo nunca nos darán esos dones más sutiles que sólo las personas pueden dar. No conseguiremos así ni amistad, ni respeto, ni mucho menos amor. Ninguna cosa (ni siquiera un animal, porque la diferencia entre su condición y la nuestra es demasiado grande) puede brindarnos esa amistad, respeto, amor... en resumen, esa *complicidad* fundamental que sólo se da entre iguales y que a ti o a mí o a Kane, que somos personas, no nos pueden ofrecer más que otras personas a las que tratemos como a tales. Lo del trato es importante, porque ya hemos dicho que los humanos nos humanizamos unos a otros. Al tratar a las personas como a personas y no como a cosas (es decir, al tomar en cuenta lo que quieren o lo que necesitan y no sólo lo que puedo sacar de ellas) estoy haciendo posible que me devuelvan lo que sólo una persona puede darle a otra.

A Kane se le olvidó este pequeño detalle y de pronto (pero demasiado tarde) se dio cuenta de que tenía de todo salvo lo que nadie más que otra persona puede dar: aprecio sincero o cariño espontáneo o simple *compañía inteligente*. Como a Kane nunca nada pareció importarle salvo el dinero, a nadie le importaba nada de Kane salvo su dinero. Y el gran hombre sabía, además, que era por culpa suya. A veces uno puede tratar a los demás como a personas y no recibir más que coces, traiciones o abusos. De acuerdo. Pero al menos contamos con el respeto de *una* persona, aunque no sea más que una: nosotros mismos. Al no convertir a los otros en cosas defendemos por lo menos nuestro *derecho* a no ser cosas para los otros. Intentamos que el mundo de las personas —ese mundo en el que unas personas tratan como tales a otras, el único en el que de veras se puede *vivir bien*— sea posible. Supongo que la desesperación del ciudadano Kane al final de su vida no provenía simplemente de haber perdido el tierno conjunto de relaciones humanas que tuvo en su infancia, sino de haberse empeñado en perderlas y de haber dedicado su vida entera a estropearlas. No es que no las tuviera sino que se dio cuenta de que ya ni siquiera las *merecía*...

Pero al multimillonario Kane seguro que le envidiaba muchísima gente, me dirás. Seguro que muchos pensaban: «¡Ése sí que sabe vivir!» Bueno, ¿y qué? ¡Despierta de una vez, criatura! Los demás, desde fuera, pueden envidiarle a uno y no saber que en ese mismo momento nos estamos muriendo de cáncer. ¿Vas a preferir darle gusto a los demás que satisfacerte a ti mismo? Kane consiguió todo lo que *había oído decir* que hace feliz a una persona: dinero, poder, influencia, servidumbre... Y descubrió finalmente que a él, dijeran lo que dijeran, le faltaba lo fundamental: el auténtico afecto, el auténtico respeto y aun el auténtico amor de personas libres, de personas a las que él tratara como personas y no como a cosas. Me dirás a lo mejor que ese Kane era un poco raro, como suelen serlo los protagonistas de las películas. Mucha gente se hubiera sentido de lo más satisfecha viviendo en semejante palacio y con tales lujos: la mayoría, me asegurarás en plan cínico, no se hubiera acordado del trineo «Rosebud» para nada. A lo mejor Kane estaba algo chalado... ¡mira que sentirse desgraciado con tantas cosas como tenía! Y yo te digo que dejes a la gente en paz y que sólo pienses en ti mismo. La buena vida que tú quieres ¿es algo así como la de Kane? ¿Te conformas con el plato de lentejas de Esaú?

No respondas demasiado de prisa. Precisamente la ética lo que intenta es averiguar en qué consiste *en el fondo*, más allá de lo que nos cuentan o de lo que vemos en los anuncios de la *tele*, esa dichosa buena vida que nos gustaría pegarnos. A estas alturas ya sabemos que ninguna buena vida puede prescindir de las cosas (nos hacen falta lentejas, que tienen mucho hierro) pero aún menos puede pasarse de personas. A las cosas hay que manejarlas como a cosas y a las personas hay que tratarlas como personas: de este modo las cosas nos ayudarán en muchos aspectos y las personas en uno fundamental, que ninguna cosa puede suplir, el de ser *humanos*. ¿Se trata de una chaladura mía o del ciudadano Kane? A lo mejor ser humanos no es cosa importante porque queramos o no ya lo somos sin remedio... ¡Pero se puede ser humano-cosa o humano-humano, humano simplemente preocupado en ganarse las cosas de la vida —todas las cosas, cuanto más cosas, mejor— y humano dedicado a *disfrutar* de la humanidad vivida entre personas! Por favor, no te *rebajes*; deja las rebajas para los grandes almacenes, que es lo suyo.

Estoy de acuerdo en que muchos a primera vista no le conceden demasiada importancia a lo que estoy diciendo. ¿Son de fiar? ¿Son los más listos o simplemente los que menos atención le prestan al asunto más importante, a su vida? Se puede ser listo para los negocios o para la política y un solemne borrico para cosas más serias, como lo de vivir bien o no. Kane era enormemente listo en lo que se refería al dinero y la manipulación de la gente, pero al final se dio cuenta de que estaba equivocado en lo fundamental. Metió la pata en donde más le convenía acertar. Te repito una palabra que me parece crucial para este asunto: *atención*. No me refiero a la atención del búho, que no habla pero se fija mucho (según el viejo chiste, ya sabes), sino a la disposición a reflexionar sobre lo que se hace y a intentar precisar lo mejor posible el sentido de esa «buena vida» que queremos vivir. Sin cómodas pero peligrosas simplificaciones, procurando comprender toda la complejidad del asunto este de vivir (me refiero a vivir *humanamente*), que se las trae.

Yo creo que la primera e indispensable condición ética es la de estar decidido a no vivir de cualquier modo: estar convencido de que no todo da igual aunque antes o después vayamos a morirnos. Cuando se habla de «moral» la gente suele referirse a esas órdenes y costumbres que suelen respetarse, por lo menos aparentemente y a veces sin saber muy bien por qué. Pero quizá el verdadero intríngulis no esté en someterse a un código o en llevar la contraria a lo establecido (que es también someterse a un código, pero *al revés*) sino en intentar *comprender*. Comprender por qué ciertos comportamientos nos convienen y otros no, comprender de qué va la vida y qué es lo que puede hacerla «buena» para nosotros los humanos. Ante todo, nada de contentarse con *ser tenido por bueno*, con *quedar bien* ante los demás, con que nos den *aprobado*... Desde luego, para ello será preciso no sólo fijarse en plan búho o con timorata obediencia de robot, sino también hablar con los demás, dar razones y escucharlas. Pero el esfuerzo de tomar la decisión tiene que hacerlo cada cual en solitario: *nadie puede ser libre por ti*.

De momento te dejo dos cuestiones para que vayas rumiando. La primera es ésta: ¿por qué está *mal* lo que está mal? Y la segunda es todavía más bonita: ¿en qué consiste lo de tratar a las personas como a personas? Si sigues teniendo paciencia conmigo, intentaremos empezar a responder en los dos próximos capítulos.

Vete leyendo...

«Es la debilidad del hombre lo que le hace sociable; son nuestras comunes miserias las que inclinan nuestros corazones a la humanidad; si no fuésemos hombres, no le deberíamos nada. Todo apego es un signo de insuficiencia: si cada uno de nosotros no tuviese ninguna necesidad de los demás, ni siquiera pensaría en unirse a ellos. Así de nuestra misma deficiencia nace nuestra frágil dicha. Un ser verdaderamente feliz es un ser solitario: sólo Dios goza de una felicidad absoluta; pero ¿quién de nosotros tiene idea de cosa semejante? Si alguien imperfecto pudiese bastarse a sí mismo, ¿de qué gozaría, según nosotros? Estaría solo, sería desdichado. Yo no concibo que quien no tiene necesidad de nada pueda amar algo: y no concibo que quien no ame nada pueda ser feliz» (Jean-Jacques Rousseau, *Emilio*).

«En efecto, por lo que respecta a aquellos cuya atareada pobreza ha usurpado el nombre de riqueza, tienen su riqueza como nosotros decimos que tenemos fiebre, siendo así que es ella la que nos tiene cogidos» (Séneca, *Cartas a Lucilio*).

«Como la razón no exige nada que sea contrario a la naturaleza, exige, por consiguiente, que cada cual se ame a sí mismo, busque su utilidad propia —lo que realmente le sea útil—, apetezca todo aquello que conduce realmente al hombre a una perfección mayor y, en términos absolutos, que cada cual se esfuerce cuanto está en su mano por conservar su ser. (...). Y así, nada es más útil al hombre que el hombre; quiero decir que nada pueden desear los hombres que sea mejor para la conservación de su ser que el concordar todos en todas las cosas, de suerte que las almas de todos formen como una sola alma, y sus cuerpos como un solo cuerpo, esforzándose todos a la vez, cuanto puedan, en conservar su ser, y buscando todos a una la común utilidad, de donde se sigue que los hombres que se guían por la razón, es decir, los hombres que buscan su utilidad bajo la guía de la razón, no apetecen para sí nada que no deseen para los demás hombres, y, por ello, son justos, dignos de confianza y honestos» (Spinoza, *Ética*).

Capítulo sexto

APARECE PEPITO GRILLO

¿Sabes cuál es la única *obligación* que tenemos en esta vida? Pues no ser imbéciles. Las palabras «imbécil» es más sustanciosa de lo que parece, no te vayas a creer. Viene del latín *baculus* que significa «bastón»: el imbécil es el que necesita bastón para caminar. Que no se enfaden con nosotros los cojos ni los ancianitos, porque el bastón al que nos referimos no es el que se usa muy legítimamente para ayudar a sostenerse y dar pasitos a un cuerpo quebrantado por algún accidente o por la edad. El imbécil puede ser todo lo ágil que se quiera y dar brincos como una gacela olímpica, no se trata de eso. Si el imbécil cojea no es de los pies, sino del ánimo: es su espíritu el debilucho y cojitranco, aunque su cuerpo pegue unas volteretas de órdago. Hay imbéciles de varios modelos, a elegir:

a) El que cree que no quiere nada, el

que dice que todo le da igual, el que vive en un perpetuo bostezo o en siesta permanente, aunque tenga los ojos abiertos y no ronque.

b)   El que cree que lo quiere todo, lo primero que se le presenta y lo contrario de lo que se le presenta: marcharse y quedarse, bailar y estar sentado, masticar ajos y dar besos sublimes, todo a la vez.

c)   El que no sabe lo que quiere ni se molesta en averiguarlo. Imita los quereres de sus vecinos o les lleva la contraria porque sí, todo lo que hace está dictado por la opinión mayoritaria de los que le rodean: es conformista sin reflexión o rebelde sin causa.

d)   El que sabe que quiere y sabe lo que quiere y, más o menos, sabe por qué lo quiere pero lo quiere flojito, con miedo o con poca fuerza. A fin de cuentas, termina siempre haciendo lo que no quiere y dejando lo que quiere para mañana, a ver si entonces se encuentra más entonado.

e)   El que quiere con fuerza y ferocidad, en plan bárbaro, pero se ha engañado a sí mismo sobre lo que es la realidad, se despista enormemente y termina confundiendo la buena vida con aquello que va a hacerle polvo.

Todos estos tipos de imbecilidad necesitan bastón, es decir, necesitan apoyarse en cosas de fuera, ajenas, que no tienen nada que ver con la libertad y la reflexión propias. Siento decirte que los imbéciles suelen acabar bastante mal, crea lo que crea la opinión vulgar. Cuando digo que «acaban mal» no me refiero a que terminen en la cárcel o fulminados por un rayo (eso sólo suele pasar en las películas), sino que te aviso de que suelen fastidiarse a sí mismos y nunca logran vivir la buena vida esa que tanto nos apetece a ti y a mí. Y todavía siento más tener que informarte qué síntomas de imbecilidad solemos tener casi todos; vamos, por lo menos yo me los encuentro un día sí y otro también, ojalá a ti te vaya mejor en el invento... Conclusión: ¡alerta!, ¡en guardia!, ¡la imbecilidad acecha y no perdona!

Por favor, no vayas a confundir la imbecilidad de la que te hablo con lo que a menudo se llama ser «imbécil», es decir, ser tonto, saber pocas cosas, no entender la trigonometría o ser incapaz de aprenderse el subjuntivo del verbo francés *aimer*. Uno puede ser imbécil para las matemáticas (*mea culpa!*) y no serlo para la moral, es decir, para la buena vida. Y al revés: los hay que son linces para los negocios y unos perfectos cretinos para cuestiones de ética. Seguro que el mundo está lleno de premios Nobel, listísimos en lo suyo, pero que van dando tropezones y bastonazos en la cuestión que aquí nos preocupa. Desde luego, para evitar la imbecilidad en cualquier campo es preciso prestar atención, como ya hemos dicho en el capítulo anterior, y esforzarse todo lo posible por aprender. En estos requisitos coinciden la física o la arqueología y la ética. Pero el negocio de vivir bien no es lo mismo que el de saber cuánto son dos y dos. Saber cuánto son dos y dos es cosa preciosa, sin duda, pero al imbécil moral no es esa sabiduría la que puede librarle del gran batacazo. Por cierto, ahora que lo pienso... ¿cuánto son dos y dos?

Lo contrario de ser moralmente imbécil es tener *conciencia*. Pero la conciencia no es algo que le toque a uno en una tómbola ni que nos caiga del cielo. Por supuesto, hay que reconocer que ciertas personas tienen desde pequeñas mejor «oído» ético que otras y un «buen gusto» moral espontáneo, pero este «oído» y ese «buen gusto» pueden afirmarse y desarrollarse con la práctica (lo mismo que el oído musical y el buen gusto estético). ¿Y si alguien carece en absoluto de semejante «oído» o «buen gusto» en cuestiones de bien vivir? Pues, chico, mal remedio le veo a su caso. Uno puede dar muchas razones estéticas, basadas en la historia, la armonía de formas y colores, en lo que quieras, para justificar que un cuadro de Velázquez tiene mayor mérito artístico que un cromo de las tortugas Ninja. Pero si después de mucho hablar alguien dice que prefiere el cromito a *Las Meninas* no sé cómo vamos a arreglárnoslas para sacarle de su error. Del mismo modo, si alguien no ve malicia ninguna en matar a martillazos a un niño para robarle el chupete, me temo que nos quedaremos roncos antes de lograr convencerle...

Bueno, admito que para lograr tener conciencia hacen falta algunas cualidades innatas, como para apreciar la música o disfrutar con el arte. Y supongo que también serán favorables ciertos requisitos sociales y económicos, pues a quien se ha visto desde la cuna privado de lo humanamente más necesario es difícil exigirle la misma facilidad para comprender lo de la buena vida que a los que tuvieron mejor suerte. Si nadie te trata como humano, no es raro que vayas a lo bestia... Pero una vez concedido ese mínimo, creo que el resto depende de la atención y esfuerzo de cada cual. ¿En qué consiste esa conciencia que nos curará de la imbecilidad moral? Fundamentalmente en los siguientes rasgos:

a) Saber que no todo da igual porque queremos realmente vivir y además vivir bien, *humanamente* bien.

b) Estar dispuestos a *fijarnos* en si lo que hacemos corresponde a lo que de veras queremos o no.

c) A base de práctica, ir desarrollando el *buen gusto* moral, de tal modo que haya ciertas cosas que nos *repugne* espontáneamente hacer (por ejemplo, que le dé a uno «asco» mentir como nos da asco por lo general mear en la sopera de la que vamos a servirnos de inmediato...).

d) Renunciar a buscar coartadas que disimulen que somos libres y por tanto razonablemente *responsables* de las consecuencias de nuestros actos.

Como verás, no invoco en estos rasgos descriptivos motivo diferente para preferir lo de aquí a lo de allá, la conciencia a la imbecilidad, que tu propio provecho. ¿Por qué está *mal* lo que llamamos «malo»? Porque no le deja a uno vivir la buena vida que queremos. ¿Resulta pues que hay que evitar el mal por una especie de *egoísmo*? Ni más ni menos. Por lo general la palabra «egoísmo» suele tener mala prensa: se llama «egoísta» a quien sólo piensa en sí mismo y no se preocupa por los demás, hasta el punto de fastidiarles tranquilamente si con ello obtiene algún beneficio. En este sentido diríamos que el ciudadano Kane era un «egoísta» o también Calígula, aquel emperador romano capaz de cometer cualquier crimen por satisfacer el más simple de sus caprichos. Estos personajes y otros parecidos suelen ser considerados egoístas (incluso *monstruosamente* egoístas) y desde luego no se distinguen por lo exquisito de su conciencia ética ni por su empeño en evitar hacer el mal...

De acuerdo, pero ¿son tan egoístas como parece estos llamados «egoístas»? ¿Quién es el verdadero egoísta? Es decir: ¿quién puede ser egoísta sin ser imbécil? La respuesta me parece obvia: *el que quiere lo mejor para sí mismo*. Y ¿qué es lo mejor? Pues eso que hemos llamado «buena vida». ¿Se dio una buena vida Kane? Si hemos de creer lo que nos cuenta Orson Welles, no parece. Se empeñó en tratar a las personas como si fueran cosas y de este modo se quedó sin los regalos humanamente más apetecibles de la vida, como el cariño sincero de los otros o su amistad sin cálculo. Y Calígula, no digamos. ¡Vaya vida que se infligió el pobre chico! Los únicos sentimientos sinceros que consiguió despertar en su prójimo fueron el terror y el odio. ¡Hay que ser imbécil, moralmente imbécil, para suponer que es mejor vivir rodeado de pánico y crueldad que entre amor y agradecimiento! Para concluir, al despistado de Calígula se lo cargaron sus propios guardias, claro: ¡menuda birria de egoísta estaba hecho si lo que quiso es darse la buena vida a base de fechorías! Si hubiera pensado de veras en sí mismo (es decir, si hubiese tenido conciencia) se habría dado cuenta de que los humanos necesitamos para vivir bien algo que sólo los otros humanos pueden darnos si nos lo ganamos pero que es imposible de *robar* por la fuerza o los engaños.

Cuando se roba, ese algo (respeto, amistad, amor) pierde todo su buen gusto y a la larga se convierte en veneno. Los «egoístas» del tipo de Kane o Calígula se parecen a esos concursantes del *Un, dos, tres* o de *El precio justo* que quieren conseguir el premio mayor pero se equivocan y piden la calabaza que no vale nada...

Sólo deberíamos llamar egoísta consecuente al que sabe de verdad lo que le conviene para vivir bien y se esfuerza por conseguirlo. El que se harta de todo lo que le sienta mal (odio, caprichos criminales, lentejas compradas a precio de lágrimas, etc.) en el fondo quisiera ser egoísta pero *no sabe.* Pertenece al gremio de los imbéciles y habría que recetarle un poco de conciencia para que se amase mejor a sí mismo. Porque el pobrecillo (aunque sea un pobrecillo millonario o un pobrecillo emperador) cree que se ama a sí mismo pero se fija tan poco en lo que de veras le conviene que termina portándose como si fuese su peor enemigo. Así lo reconoce un célebre villano de la literatura universal, el Ricardo III de Shakespeare en la tragedia de ese mismo título. Para llegar a convertirse en rey, el conde de Gloucester (que finalmente será coronado como Ricardo III) elimina a todos los parientes varones que se interponen entre el trono y él, incluyendo hasta niños. Gloucester ha nacido muy listo, pero contrahecho, lo que ha sido un constante sufrimiento para su amor propio; supone que el poder real compensará en cierto modo su joroba y su pierna renga, logrando así inspirar el *respeto* que no consigue por medio de su aspecto físico. En el fondo, Gloucester quiere *ser amado*, se siente aislado por su malformación y cree que el afecto puede *imponerse* a los demás... ¡a la fuerza, por medio del poder! Fracasa, claro está: consigue el trono, pero no inspira a nadie cariño sino horror y después odio. Y lo peor de todo es que él mismo, que había cometido todos sus crímenes por amor propio desesperado, siente ahora horror y odio por sí mismo: ¡no sólo no ha ganado ningún nuevo amigo sino que ha perdido el único amor que creía seguro! Es entonces cuando pronuncia el espantoso y profético diagnóstico de su caso clínico: «Me lanzaré con negra desesperación contra mi alma y acabaré convertido en enemigo de mí mismo.»

¿Por qué termina Gloucester vuelto un «enemigo de sí mismo»? ¿Acaso no ha conseguido lo que quería, el trono? Sí, pero al precio de estropear su verdadera posibilidad de ser amado y respetado por el resto de sus compañeros humanos. Un trono no concede automáticamente ni amor ni respeto verdadero: sólo garantiza adulación, temor y servilismo. Sobre todo cuando se consigue por medio de fechorías, como en el caso de Ricardo III. En vez de compensar de algún modo su deformación física, Gloucester se deforma también *por dentro*. Ni de su joroba ni de su cojera tenía él la culpa, por lo que no había razón para avergonzarse de esas casualidades infortunadas: los que se rieran de él o le despreciaran por ellas son quienes hubieran debido avergonzarse. Por fuera los demás le veían contrahecho, pero él por dentro podía haberse sabido inteligente, generoso y digno de afecto; si se hubiera amado de verdad a sí mismo, debería haber intentado exteriorizar por medio de su conducta ese interior limpio y recto, su verdadero yo. Por el contrario, sus crímenes le convierten ante sus propios ojos (cuando se mira a sí mismo por dentro, allí donde nadie más que él es testigo) en un monstruo más repugnante que cualquier contrahecho físico. ¿Por qué? Porque de sus jorobas y cojeras morales es él mismo responsable, a diferencia de las otras que eran azares de la naturaleza. La corona manchada de traición y de sangre no le hace más *amable*, ni mucho menos: ahora se sabe menos digno de amor que nunca y ni él mismo se quiere ya. ¿Llamaremos «egoísta» a alguien que se hace tanta pupa a sí mismo?

En el párrafo anterior he utilizado unas

palabras severas que quizá no se te hayan escapado (si se te han escapado, mala suerte): palabras como «culpa» o «responsable». Suenan a lo que habitualmente se relaciona con la conciencia, ¿no?, lo de Pepito Grillo y demás. No me ha faltado más que mencionar el mas «feo» de esos títulos: *remordimiento*. Sin duda lo que amarga la existencia a Gloucester y no le deja disfrutar de su trono ni de su poder son ante todo los remordimientos de su conciencia. Y ahora yo te pregunto: ¿sabes de dónde vienen los remordimientos? En algunos casos, me dirás, son reflejos íntimos del *miedo* que sentimos ante el castigo que puede merecer —en este mundo o en otro después de la muerte, si es que lo hay— nuestro mal comportamiento. Pero supongamos que Gloucester no tiene miedo a la venganza justiciera de los hombres y no cree que haya ningún Dios dispuesto a condenarle al fuego eterno por sus fechorías. Y, sin embargo, sigue desazonado por los remordimientos... Fíjate: uno puede lamentar haber obrado mal *aunque esté razonablemente seguro de que nada ni nadie va a tomar represalias contra él*. Y es que, al actuar mal y darnos cuenta de ello, comprendemos que ya estamos siendo castigados, que nos hemos *estropeado* a nosotros mismos —poco o mucho— voluntariamente. No hay peor castigo que darse cuenta de que uno está boicoteando con sus actos lo que en realidad quiere ser...

¿Que de dónde vienen los remordimientos? Para mí está muy claro: de nuestra *libertad*. Si no fuésemos libres, no podríamos sentirnos culpables (ni orgullosos, claro) de nada y evitaríamos los remordimientos. Por eso cuando sabemos que hemos hecho algo *vergonzoso* procuramos asegurar que no tuvimos otro remedio que obrar así, que no pudimos elegir: «yo cumplí órdenes de mis superiores», «vi que todo el mundo hacía lo mismo», «perdí la cabeza», «es más fuerte que yo», «no me di cuenta de lo que hacía», etcétera. Del mismo modo el niño pequeño, cuando se cae al suelo y se rompe el tarro de mermelada que intentaba coger de lo alto de la estantería, grita lloroso: «¡Yo no he sido!» Lo grita precisamente porque *sabe que ha sido él*; si no fuera así, ni se molestaría en decir nada y quizá hasta se riese y todo. En cambio, si ha dibujado algo muy bonito en seguida proclamará: «¡Lo he hecho yo solito, nadie me ha ayudado!» Del mismo modo, ya mayores, queremos siempre ser libres para atribuirnos el mérito de lo que logramos pero preferimos confesarnos «esclavos de las circunstancias» cuando nuestros actos no son precisamente gloriosos.

Despachemos con viento fresco al pelmazo de Pepito Grillo: la verdad es que me ha resultado siempre tan poco simpático como aquel otro insecto detestable, la hormiga de la fábula que deja a la locuela cigarra sin comida ni cobijo en invierno sólo para darle una lección, la muy grosera. De lo que se trata es de tomarse en serio la libertad, o sea de ser *responsable*. Y lo serio de la libertad es que tiene *efectos* indudables, que no se pueden borrar a conveniencia una vez producidos. Soy libre de comerme o no comerme el pastel que tengo delante; pero una vez que me lo he comido, ya no soy libre de tenerlo delante o no. Te pongo otro ejemplo, éste de Aristóteles (ya sabes, aquel viejo griego del barco en la tormenta): si tengo una piedra en la mano, soy libre de conservarla o de tirarla, pero si la tiro a lo lejos ya no puedo ordenarle que vuelva para seguir teniéndola en la mano. Y si con ella le parto la crisma a alguien... pues tú me dirás. Lo serio de la libertad es que cada acto libre que hago limita mis posibilidades al elegir y realizar una de ellas. Y no vale la trampa de esperar a ver si el resultado es bueno o malo antes de asumir si soy o no su responsable. Quizá pueda engañar al observador de fuera, como pretende el niño que dice «¡yo no he sido!», pero a mí mismo nunca me puedo engañar del todo. Pregúntaselo a Gloucester... ¡o a Pinocho!

De modo que lo que llamamos «remordimiento» no es más que el descontento que sentimos con nosotros mismos cuando hemos empleado mal la libertad, es decir, cuando la hemos utilizado en contradicción con lo que de veras queremos como seres humanos. Y ser responsable es saberse auténticamente libre, para bien y para mal: apechugar con las consecuencias de lo que hemos hecho, enmendar lo malo que pueda enmendarse y aprovechar al máximo lo bueno. A diferencia del niño malcriado y cobarde, el responsable siempre está dispuesto a *responder* de sus actos: «¡Sí, he sido yo!» El mundo que nos rodea, si te fijas, está lleno de ofrecimiento para descargar al sujeto del peso de su responsabilidad. La culpa de lo malo que sucede parece ser de las circunstancias, de la sociedad en la que vivimos, del sistema capitalista, del carácter que tengo (¡es que yo soy así!), de que no me educaron bien (o me mimaron demasiado), de los anuncios de la *tele*, de las tentaciones que se ofrecen en los escaparates, de los ejemplos irresistibles y perniciosos... Acabo de usar la palabra clave de estas justificaciones: *irresistible*. Todos los que quieren dimitir de su responsabilidad creen en lo irresistible, aquello que avasalla sin remedio, sea propaganda, droga, apetito, soborno, amenaza, forma de ser... lo que salte. En cuanto aparece lo irresistible, ¡zas!, deja uno de ser libre y se convierte en marioneta a la que no se le deben pedir cuentas. Los partidarios del autoritarismo creen firmemente en lo irresistible y sostienen que es necesario prohibir todo lo que puede resultar avasallador: ¡una vez que la policía haya acabado con todas las tentaciones, ya no habrá más delitos ni pecados! Tampoco habrá ya libertad, claro, pero el que algo quiere, algo le cuesta... Además ¡qué gran alivio, saber que si todavía queda por ahí alguna tentación suelta la responsabilidad de lo que pase es de quien no la prohibió a tiempo y no de quien cede a ella!

¿Y si yo te dijera que lo «irresistible» no es más que una *superstición*, inventada por los que le tienen miedo a la libertad? ¿Que todas las instituciones y teorías que nos ofrecen disculpas para la responsabilidad no nos quieren ver más contentos sino sabernos más esclavos? ¿Que quien espera a que todo en el mundo sea como es debido para empezar a portarse él mismo como es debido ha nacido para mentecato, para bribón o para las dos cosas, que también suele pasar? ¿Que por muchas prohibiciones que se nos impongan y muchos policías que nos vigilen siempre podremos obrar mal —es decir, contra nosotros mismos— si *queremos*? Pues te lo digo, te lo digo con toda la convicción del mundo.

Un gran poeta y narrador argentino, Jorge Luis Borges, hace al principio de uno de sus cuentos la siguiente reflexión sobre cierto antepasado suyo: «Le tocaron, como a todos los hombres, malos tiempos en que vivir.» En efecto, *nadie* ha vivido nunca en tiempos completamente favorables, en los que resulte sencillo ser hombre y llevar una buena vida. Siempre ha habido violencia, rapiña, cobardía, imbecilidad (moral y de la otra), mentiras aceptadas como verdades porque son agradables de oír... A nadie se le *regala* la buena vida humana ni nadie consigue lo conveniente para él sin coraje y sin esfuerzo: por eso *virtud* deriva etimológicamente de *vir*, la fuerza viril del guerrero que se impone en el combate contra la mayoría. ¿Te parece un auténtico fastidio? Pues pide el libro de reclamaciones... Lo único que puedo garantizarte es que nunca se ha vivido en Jauja y que la decisión de vivir bien la tiene que tomar cada cual respecto a sí mismo, día a día, sin esperar a que la estadística le sea favorable o el resto del universo se lo pida por favor.

El meollo de la responsabilidad, por si te interesa saberlo, no consiste simplemente en tener la gallardía o la honradez de asumir las propias meteduras de pata sin buscar excusas a derecha e izquierda. El tipo responsable es consciente de lo *real* de su libertad. Y empleo «real» en el doble sentido de «auténtico» o «verdadero» pero también de «propio de un rey»: el que toma decisiones sin que nadie por encima suyo le dé órdenes. Responsabilidad es saber que cada uno de mis actos me va construyendo, me va definiendo, me va *inventando*. Al elegir lo que quiero hacer voy *transformándome* poco a poco. Todas mis decisiones dejan huella en mí mismo antes de dejarla en el mundo que me rodea. Y claro, una vez empleada mi libertad en irme haciendo un rostro ya no puedo quejarme o asustarme de lo que veo en el espejo cuando me miro... Si obro bien cada vez me será más difícil obrar mal (y al revés, por desgracia): por eso lo ideal es ir cogiendo el vicio... de vivir bien. Cuando al protagonista de la película del oeste le dan la oportunidad de que dispare al villano por la espalda y él dice: «Yo no *puedo* hacer eso», todos entendemos lo que quiere decir. Disparar, lo que se dice disparar, sí que podría, pero no tiene semejante costumbre. ¡Por algo es el «bueno» de la historia! Quiere seguir siendo fiel al tipo que ha elegido ser, al tipo que se ha fabricado libremente desde tiempo atrás.

Perdona si este capítulo me ha salido demasiado largo pero es que me he entusiasmado un poco y además ¡tengo tantas cosas que decirte! Lo dejaremos aquí y cogeremos fuerzas, porque mañana me propongo hablarte de en qué consiste eso de tratar a las personas como a personas, es decir con realismo o, si prefieres: con bondad.

Vete leyendo...

«¡Oh, cobarde conciencia, cómo me afliges!... ¡La luz despide resplandores azulencos!... ¡Es la hora de la medianoche mortal!... ¡Un sudor frío empapa mis temblorosas carnes!... ¡Cómo! ¿Tengo miedo de mí mismo?... Aquí no hay nadie... Ricardo ama a Ricardo... Eso es; yo soy yo... ¿Hay aquí algún asesino?... No... ¡Sí!... ¡Yo!... ¡Huyamos, pues!... ¡Cómo! ¿De mí mismo?... ¡Valiente razón!... ¿Por qué?... ¡Del miedo a la venganza! ¡Cómo! ¿De mí mismo contra mí mismo? ¡Ay! ¡Yo me amo! ¿Por qué causa? ¿Por el escaso bien que me he hecho a mí mismo? ¡Oh, no! ¡Ay de mí!... ¡Más bien debería odiarme por las infames acciones que he cometido! ¡Soy un miserable! Pero miento: eso no es verdad... ¡Loco, habla bien de ti! ¡Loco, no te adules! ¡Mi conciencia tiene millares de lenguas, y cada lengua repite su historia particular, y cada historia me condena como un miserable! ¡El perjurio, el perjurio en el más alto grado! ¡El asesinato, el horrendo asesinato hasta el más feroz extremo! Todos los crímenes diversos, todos cometidos bajo todas las formas, acuden a acusarme, gritando todos: ¡Culpable! ¡Culpable!... ¡Me desesperaré! ¡No hay criatura humana que me ame! ¡Y si muero, ningún alma tendrá piedad de mí!... ¿Y por qué había de tenerla? ¡Si yo mismo no he tenido piedad de mí!» (William Shakespeare, *La tragedia de Ricardo III*).

«*"No hagas a los otros lo que no quieras que te hagan a ti"* es uno de los principios más fundamentales de la ética. Pero es igualmente justificado afirmar: *todo lo que hagas a otros te lo haces también a ti mismo*» (Erich Fromm, *Ética y psicoanálisis*).

«Todos, cuando favorecen a otros, se favorecen a sí mismos; y no me refiero al hecho de que el socorrido querrá socorrer y el defendido proteger, o que el buen ejemplo retorna, describiendo un círculo, hacia el que lo da —como los malos ejemplos recaen sobre sus autores, y ninguna piedad alcanza a aquellos que padecen injurias después de haber demostrado con sus actos que podían hacerse—, sino a que el valor de toda virtud radica en ella misma, ya que no se practica en orden al premio: la recompensa de la acción virtuosa es haberla realizado» (Séneca, *Cartas a Lucilio*).

Capítulo séptimo

PONTE EN SU LUGAR

Robinson Crusoe pasea por una de las playas de la isla en la que una inoportuna tormenta con su correspondiente naufragio le ha confinado. Lleva su loro al hombro y se protege del sol gracias a la sombrilla fabricada con hojas de palmera que le tiene justificadamente orgulloso de su habilidad. Piensa que, dadas las circunstancias, no puede decirse que se las haya arreglado del todo mal. Ahora tiene un refugio en el que guarecerse de las inclemencias del tiempo y del asalto de las fieras, sabe dónde conseguir alimento y bebida, tiene vestidos que le abriguen y que él mismo se ha hecho con elementos naturales de la isla, los dóciles servicios de un rebañito de cabras, etc. En fin, que sabe cómo arreglárselas para llevar más o menos su buena vida de náufrago solitario. Sigue paseando Robinson y está tan contento de sí mismo que por un momento le parece que no echa nada de menos. De pronto, se detiene con sobresalto. Allí, en la arena blanca, se dibuja una marca que va a revolucionar toda su pacífica existencia: la huella de un pie humano.

¿De quién será? ¿Amigo o enemigo? ¿Quizá un enemigo al que puede convertir en amigo? ¿Hombre o mujer? ¿Cómo se entenderá con él o ella? ¿Qué *trato* le dará? Robinson está ya acostumbrado a hacerse preguntas desde que llegó a la isla y a resolver los problemas del modo más ingenioso posible: ¿qué comeré?, ¿dónde me refugiaré?, ¿cómo me protegeré del sol? Pero ahora la situación no es igual porque ya no tiene que vérselas con acontecimientos naturales, como el hambre o la lluvia, ni con fieras salvajes, sino con otro ser humano: es decir, con otro Robinson o con otros Robinsones y Robinsonas. Ante los elementos o las bestias, Robinson ha podido comportarse sin atender a nada más que a su necesidad de supervivencia. Se trataba de ver si podía con ellos o ellos podían con él, sin otras complicaciones. Pero ante seres humanos la cosa ya no es tan simple. Debe sobrevivir, desde luego, pero ya no *de cualquier modo*. Si Robinson se ha convertido en una fiera como las demás que rondan por la selva, a causa de su soledad y su desventura, no se preocupará más que de si el desconocido causante de la huella es un enemigo a eliminar o una presa a devorar. Pero si aún quiere seguir siendo un hombre... Entonces se las va a ver no ya con una presa o un simple enemigo, sino con un rival o un posible compañero; en cualquier caso, con un *semejante*.

Mientras está solo, Robinson se enfrenta a cuestiones técnicas, mecánicas, higiénicas, incluso científicas, si me apuras. De lo que se trata es de *salvar la vida* en un medio hostil y desconocido. Pero cuando encuentra la huella de Viernes en la arena de la playa empiezan sus problemas *éticos*. Ya no se trata solamente de sobrevivir, como una fiera o como una alcachofa, perdido en la naturaleza; ahora tiene que empezar a *vivir humanamente*, es decir, con otros o contra otros hombres, pero *entre* hombres. Lo que hace «humana» a la vida es el transcurrir en compañía de humanos, hablando con ellos, pactando y mintiendo, siendo respetado o traicionado, amando, haciendo proyectos y recordando el pasado, desafiándose, organizando juntos las cosas comunes, jugando, intercambiando símbolos... La ética no se ocupa de cómo alimentarse mejor o de cuál es la manera más recomendable de protegerse del frío ni de qué hay que hacer para vadear un río sin ahogarse, cuestiones todas ellas sin duda muy importantes para sobrevivir en determinadas circunstancias; lo que a la ética le interesa, lo que constituye su *especialidad*, es cómo vivir bien la vida humana, la vida que transcurre entre humanos. Si uno no sabe cómo arreglárselas para sobrevivir en los peligros naturales, pierde la vida, lo cual sin duda es un fastidio grande; pero si uno no tiene ni idea de ética, lo que pierde o malgasta es lo humano de su vida y eso, francamente, tampoco tiene ninguna gracia.

Antes te dije que la huella en la arena anunció a Robinson la proximidad comprometedora de un *semejante*. Pero vamos a ver, ¿hasta qué punto era Viernes semejante a Robinson? Por un lado, un europeo del siglo XVII, poseedor de los conocimientos científicos más avanzados de su época, educado en la religión cristiana, familiarizado con los mitos homéricos y con la imprenta; por otro, un salvaje caníbal de los mares del Sur, sin más cultura que la tradición oral de su tribu, creyente en una religión politeísta y desconocedor de la existencia de las grandes ciudades contemporáneas como Londres o Amsterdam. Todo era diferente del uno al otro: color de la piel, aficiones culinarias, entretenimientos... Seguro que por las noches ni siquiera sus sueños tenían nada en común. Y sin embargo, pese a tantas diferencias, también había entre ellos rasgos fundamentalmente parecidos, semejanzas esenciales que Robinson no compartía con ninguna

126

fiera ni con ningún árbol o manantial de la isla. Para empezar, ambos *hablaban*, aunque fuese en lenguas muy distintas. El mundo estaba hecho para ellos de símbolos y de relaciones entre símbolos, no de puras cosas sin nombre. Y tanto Robinson como Viernes eran capaces de *valorar* los comportamientos, de saber que uno puede hacer ciertas cosas que están «bien» y otras que son por el contrario «malas». A primera vista, lo que ambos consideraban «bueno» y «malo» no era ni mucho menos igual, porque sus valoraciones concretas provenían de culturas muy lejanas: el canibalismo, sin ir más lejos, era una costumbre razonable y aceptada para Viernes, mientras que a Robinson —como a ti, supongo, por tragaldabas que seas— le merecía el más profundo de los horrores. Y a pesar de ello los dos coincidían en suponer que hay *criterios* destinados a justificar qué es aceptable y qué es horroroso. Aunque tuvieran posiciones muy distintas desde las que discutir, *podían* llegar a discutir y comprender de qué estaban discutiendo. Ya es bastante más de lo que se suele hacer con un tiburón o con una avalancha de rocas, ¿no?

Todo eso está muy bien, me dirás, pero lo cierto es que por muy semejantes que sean los hombres no está claro de antemano cuál sea la mejor manera de comportarse respecto a ellos. Si la huella en la arena que encuentra Robinson pertenece a un miembro de la tribu de caníbales que pretende comérselo estofado, su actitud ante el desconocido no deberá ser la misma que si se trata del grumete del barco que viene por fin a rescatarle. Precisamente porque los otros hombres se me parecen mucho pueden resultarme más *peligrosos* que cualquier animal feroz o que un terremoto. No hay peor enemigo que un enemigo inteligente, capaz de hacer planes minuciosos, de tender trampas o de engañarme de mil maneras. Quizá entonces lo mejor sea tomarles la delantera y ser uno el primero en tratarles, por medio de violencia o emboscadas, como si ya fuesen efectivamente esos *enemigos* que pudieran llegar a ser... Sin embargo, esta actitud no es tan prudente como parece a primera vista: al comportarme ante mis semejantes como enemigo, aumento sin duda las posibilidades de que ellos se conviertan sin remedio en enemigos míos también; y además pierdo la ocasión de ganarme su amistad o de conservarla si en principio estuviesen dispuestos a ofrecérmela.

Mira este otro comportamiento posible ante nuestros peligrosos semejantes. Marco Aurelio fue emperador de Roma y además filósofo, lo cual es bastante raro porque los gobernantes suelen interesarse poco por to-

das las cuestiones que no sean indiscutible-
mente prácticas. A este emperador le gustaba anotar algo así como unas conversaciones
que tenía consigo mismo, dándose consejos
o hasta pegándose broncas. Frecuentemente
apuntaba cosas de este jaez (acudo a la me-
moria, no al libro, de modo que no te lo
tomes al pie de la letra): «Al levantarte hoy,
piensa que a lo largo del día te encontrarás
con algún mentiroso, con algún ladrón, con
algún adúltero, con algún asesino. Y recuerda que has de tratarles como a hombres,
porque son tan humanos como tú y por tanto te resultan tan imprescindibles como la
mandíbula inferior lo es para la superior.»
Para Marco Aurelio, lo más importante respecto a los hombres no es si su conducta me
parece conveniente o no, sino que —en cuanto humanos— me *convienen* y eso nunca
debo olvidarlo al tratar con ellos. Por malos
que sean, su humanidad coincide con la mía
y la refuerza. Sin ellos, yo podría quizá vivir
pero no vivir humanamente. Aunque tenga
algún diente postizo y dos o tres con caries,
siempre es más conveniente a la hora de comer contar con una mandíbula inferior que
ayude a la superior...

Y es que esa misma semejanza en la inteligencia, en la capacidad de cálculo y proyecto, en las pasiones y los miedos, eso mismo
que hace tan peligrosos a los hombres para

mí cuando quieren serlo, los hace también supremamente *útiles*. Cuando un ser humano *me viene bien*, nada puede venirme mejor. A ver, ¿qué conoces tú que sea mejor que ser *amado*? Cuando alguien quiere dinero, o poder, o prestigio... ¿acaso no apetece esas riquezas para poder comprar la mitad de lo que cuando uno es amado recibe *gratis*? Y ¿quién me puede amar de verdad sino otro ser como yo, que funcione igual que yo, que me quiera *en tanto que humano*... y a pesar de ello? Ningún bicho, por cariñoso que sea, puede darme tanto como otro ser humano, incluso aunque sea un ser humano algo antipático. Es muy cierto que a los hombres debo tratarlos con *cuidado*, por si acaso. Pero ese «cuidado» no puede consistir ante todo en recelo o malicia, sino en el miramiento que se tiene al manejar las cosas frágiles, las cosas más frágiles de todas... porque no son simples *cosas*. Ya que el vínculo de respeto y amistad con los otros humanos es lo más precioso del mundo para mí, que también lo soy, cuando me las vea con ellos debo tener principal interés en resguardarlo y hasta *mimarlo*, si me apuras un poco. Y ni siquiera a la hora de salvar el pellejo es aconsejable que olvide por completo esta prioridad.

Marco Aurelio, que era emperador y filósofo pero no imbécil, sabía muy bien lo que tú también sabes: que hay gente que roba, que miente y que mata. Naturalmente, no suponía que por aquello de llevarse bien con el prójimo hay que favorecer semejantes conductas. Pero tenía bastante claras dos cosas que me parecen muy importantes:

Primera: que quien roba, miente, traiciona, viola, mata o abusa de cualquier modo de uno no por ello deja de ser *humano*. Aquí el lenguaje es engañoso, porque al acuñar el título de infamia («ése es un ladrón», «aquélla una mentirosa», «tal otro un criminal») nos hace olvidar un poco que se trata siempre de seres humanos que, sin dejar de serlo, se comportan de manera poco recomendable. Y quien «ha llegado» a ser algo detestable, como sigue siendo humano aún puede volver a transformarse de nuevo en lo más conveniente para nosotros, lo más imprescindible...

Segunda: Una de las características principales de todos los humanos es nuestra capacidad de *imitación*. La mayor parte de nuestro comportamiento y de nuestros gustos la copiamos de los demás. Por eso somos tan educables y vamos aprendiendo sin cesar los logros que conquistaron otras personas en tiempos pasados o latitudes remotas. En todo lo que llamamos «civilización», «cultura», etc., hay un poco de invención y muchísimo de imitación. Si no fuésemos tan copiones, constantemente cada hombre debería empezarlo todo desde cero. Por eso es tan importante el *ejemplo* que damos a nuestros congéneres sociales: es casi seguro que en la mayoría de los casos nos tratarán tal como se vean tratados. Si repartimos a troche y moche enemistad, aunque sea disimuladamente, no es probable que recibamos a cambio cosa mejor que más enemistad. Ya sé que por muy buen ejemplo que llegue a dar uno, los demás siempre tienen a la vista demasiados malos ejemplos que imitar. ¿Para qué molestarse, pues, y renunciar a las ventajas inmediatas que sacan a menudo los canallas? Marco Aurelio te contestaría: «¿Te parece prudente aumentar el ya crecido número de los malos, de los que poco realmente positivo puedes esperar, y desanimar a la minoría de los mejores, que en cambio tanto pueden hacer por tu buena vida? ¿No es más lógico sembrar lo que intentas cosechar en lugar de lo opuesto, aun a sabiendas de que la cizaña puede estropear tu cosecha? ¿Prefieres portarte voluntariamente al modo de tanto loco como hay suelto, en lugar de defender y mostrar las ventajas de la cordura?»

Pero estudiemos un poco más de cerca lo que hacen esos que llamamos «malos», es decir, los que tratan a los demás humanos como a enemigos en lugar de procurar su amistad. Seguro que recuerdas la película

Frankenstein, interpretada por ese entrañable monstruo de monstruos que fue Boris Karloff. Intentamos verla juntos en la *tele* cuando eras bastante pequeñajo y tuve que apagar porque, según me dijiste con elegante franqueza, «me parece que empieza a darme *demasiado* miedo». Bueno, pues en la novela de Mary W. Shelley en la que se basa la película, la criatura hecha de remiendos de cadáveres hace esta confesión a su ya arrepentido inventor: «Soy malo porque soy desgraciado.» Tengo la impresión de que la mayoría de los supuestos «malos» que corren por el mundo podrían decir lo mismo cuando fuesen sinceros. Si se comportan de manera hostil y despiadada con sus semejantes es porque sienten miedo, o soledad, o porque carecen de cosas necesarias que otros muchos poseen: desgracias, como verás. O porque padecen la mayor desgracia de todas, la de verse tratados por la mayoría sin amor ni respeto, tal como le ocurría a la pobre criatura del doctor Frankenstein, a la que sólo un ciego y una niña quisieron mostrar amistad. No conozco gente que sea mala de puro feliz ni que martirice al prójimo como señal de alegría. Todo lo más, hay bastantes que para estar contentos necesitan *no enterarse* de los padecimientos que abundan a su alrededor y de algunos de los cuales son cómplices. Pero la ignorancia, aunque esté satisfecha de sí misma, también es una forma de desgracia...

Ahora bien: si cuanto más feliz y alegre se siente alguien menos ganas tendrá de ser malo, ¿no será cosa prudente intentar fomentar todo lo posible la felicidad de los demás en lugar de hacerles desgraciados y por tanto propensos al mal? El que colabora en la desdicha ajena o no hace nada para ponerle remedio... se la está buscando. ¡Que no se queje luego de que haya tantos malos sueltos! A corto plazo, tratar a los semejantes como enemigos (o como víctimas) puede parecer *ventajoso*. El mundo está lleno de «pillines» o de descarados canallas que se consideran sumamente astutos cuando sacan provecho de la buena intención de los demás y hasta de sus desventuras. Francamente, no me parecen tan «listos» como ellos se halagan en creer. La mayor *ventaja* que podemos obtener de nuestros semejantes no es la posesión de más cosas (o el dominio sobre más personas tratadas como cosas, como instrumentos) sino *la complicidad y afecto de más seres libres*. Es decir, la ampliación y refuerzo de mi *humanidad*. «Y eso ¿para qué sirve?», preguntará el pillo, creyendo alcanzar el colmo de la astucia. A lo que tú puedes responderle: «No *sirve* para nada de lo que tú piensas. Sólo los *siervos* sirven y aquí ya te he dicho que estamos hablando de seres *libres*.» El problema del canalla es que no sabe que la libertad no sirve ni gusta de ser servida sino que busca *contagiarse*. Tiene mentalidad de esclavo, el pobrecillo... ¡por muy «rico» en cosas que se considere a sí mismo!

Y suspira luego el canalla, ahora ya tembloroso y reducido a simple pillín: «Si yo no me aprovecho de los otros, ¡seguro que son los otros los que se aprovechan de mí!» Es una cuestión de ratones-esclavos y leones-libres, con las debidas reverencias para ambas especies zoológicas de mi mayor consideración. Diferencia número uno entre el que ha nacido para ratón y el que ha nacido para león: el ratón pregunta «¿qué me pasará?» y el león «¿qué haré?». Número dos: el ratón quiere obligar a los demás a que le quieran para así ser capaz de quererse a sí mismo y el león se quiere a sí mismo por lo que es capaz de querer a los demás. Número tres: el ratón está dispuesto a hacer lo que sea contra los demás para prevenir lo que los demás pueden hacer contra él, mientras que el león considera que hace a favor de sí mismo todo lo que hace a favor de los demás. Ser ratón o ser león: ¡he aquí la cuestión! Para el león está bastante claro —«tenebrosamente claro», como diría el poeta Antonio Machado— que el primer perjudicado cuando intento perjudicar a mi semejante soy precisamente yo mismo... y en lo que tengo de más valioso, de menos *servil*.

Llegamos por fin al momento de intentar responder a una pregunta cuya contestación directa (indirectamente y con rodeos hace bastantes páginas que no hablamos de otra cosa) hemos aplazado ya demasiado tiempo: ¿en qué consiste tratar a las personas como a personas, es decir, humanamente? Respuesta: consiste en que *intentes ponerte en su lugar*. Reconocer a alguien como semejante implica sobre todo la posibilidad de comprenderle *desde dentro*, de adoptar por un momento su propio punto de vista. Es algo que sólo de una manera muy novelesca y dudosa puedo pretender con un murciélago o con un geranio, pero que en cambio se impone con los seres capaces de manejar símbolos como yo mismo. A fin de cuentas, siempre que *hablamos* con alguien lo que hacemos es establecer un terreno en el que quien ahora es «yo» sabe que se convertirá en «tú» y viceversa. Si no admitiésemos que existe algo fundamentalmente igual entre nosotros (la posibilidad de ser para otro lo que otro es para mí) no podríamos *cruzar* ni palabra. Allí donde hay cruce, hay también reconocimiento de que en cierto modo pertenecemos a lo de *enfrente* y lo de enfrente nos pertenece... Y eso aunque yo sea joven y el otro viejo, aunque yo sea hombre y el otro mujer, aunque yo sea blanco y el otro negro, aunque yo sea tonto y el otro listo, aunque yo esté sano y el otro enfermo, aunque yo sea rico y el otro pobre. «Soy humano —dijo un antiguo poeta latino— y nada de lo que es humano puede parecerme ajeno.» Es decir: tener conciencia de mi humanidad consiste en darme cuenta de que, pese a todas las muy reales diferencias entre los individuos, estoy también en cierto modo *dentro* de cada uno de mis semejantes. Para empezar, como *palabra*...

Y no sólo para poder hablar con ellos, claro está. Ponerse en el lugar de otro es algo más que el comienzo de toda comunicación simbólica con él: se trata de tomar en cuenta sus *derechos*. Y cuando los derechos faltan, hay que comprender sus *razones*. Pues eso es algo a lo que todo hombre tiene derecho frente a los demás hombres, aunque sea el peor de todos: tiene derecho —derecho *humano*— a que alguien intente ponerse en su lugar y comprender lo que hace y lo que siente. Aunque sea para condenarle en nombre de leyes que toda sociedad debe admitir. En una palabra, ponerte en el lugar de otro es *tomarle en serio*, considerarle tan plenamente *real* como a ti mismo. ¿Recuerdas a nuestro viejo amigo el ciudadano Kane? ¿O a Gloucester? Se tomaron tan en serio a sí mismos, tuvieron tan en cuenta sus deseos y ambiciones, que actuaron como si los demás no fuesen de verdad, como si fuesen simples muñecos o fantasmas: los aprovechaban cuando les venía bien su colaboración, los desechaban o mataban si ya no les resultaban utilizables. No hicieron el mínimo esfuerzo por ponerse en su lugar, por *relativizar* su interés propio para tomar en cuenta también el interés ajeno. Ya sabes cómo les fue.

No te estoy diciendo que haya nada malo en que tengas tus propios *intereses*, ni tampoco que debas renunciar a ellos siempre para dar prioridad a los de tu vecino. Los tuyos, desde luego, son tan respetables como los suyos y lo demás son cuentos. Pero fíjate en la palabra misma «interés»: viene del latín *inter esse*, lo que está entre varios, lo que pone en relación a varios. Cuando hablo de «relativizar» tu interés quiero decir que ese interés no es algo tuyo exclusivamente, como si vivieras solo en un mundo de fantasmas, sino que te pone en contacto con otras realidades tan «de verdad» como tú mismo. De modo que todos los intereses que puedas tener son relativos (según otros intereses, según las circunstancias, según leyes y costumbres de la sociedad en que vives) salvo un interés, el único interés *absoluto*: el interés de ser humano entre los humanos, de dar y recibir el trato de humanidad sin el que no puede haber «buena vida». Por mu-

138

cho que pueda interesarte algo, si miras bien nada puede ser tan interesante para ti como la capacidad de ponerte en el lugar de aquellos con los que tu interés te relaciona. Y al ponerte en su lugar no sólo debes ser capaz de atender a sus razones, sino también de participar de algún modo en sus pasiones y sentimientos, en sus dolores, anhelos y gozos. Se trata de sentir *simpatía* por el otro (o si prefieres *compasión*, pues ambas voces tienen etimologías semejantes, la una derivando del griego y la otra del latín), es decir ser capaz de experimentar en cierta manera al unísono con el otro, no dejarle del todo solo ni en su pensar ni en su querer. Reconocer que estamos hechos de la misma pasta, a la vez idea, pasión y carne. O como lo dijo más bella y profundamente Shakespeare: todos los humanos estamos hechos de la sustancia con la que se trenzan los sueños. Que se note que nos damos cuenta de ese parentesco.

Tomarte al otro en serio, es decir, ser capaz de ponerte en su lugar para aceptar prácticamente que es tan real como tú mismo, no significa que siempre debas darle la razón en lo que reclama o en lo que hace. Ni tampoco que, como le tienes por tan real como tú mismo y semejante a ti, debas comportarte como si fueseis *idénticos*. El dramaturgo y humorista Bernard Shaw solía decir:

«No siempre hagas a los demás lo que desees que te hagan a ti: ellos pueden tener gustos diferentes.» Sin duda los hombres somos semejantes, sin duda sería estupendo que llegásemos a ser iguales (en cuanto a oportunidades al nacer y luego ante las leyes), pero desde luego no somos ni tenemos por qué empeñarnos en ser idénticos. ¡Menudo aburrimiento y menuda tortura generalizada! Ponerte en el lugar del otro es hacer un esfuerzo de objetividad por ver las cosas como él las ve, no *echar* al otro y ocupar tú su sitio... O sea que él debe seguir siendo él y tú tienes que seguir siendo tú. El primero de los derechos humanos es el derecho a no ser fotocopia de nuestros vecinos, a ser más o menos *raros*. Y no hay derecho a obligar a otro a que deje de ser «raro» por su bien, salvo que su «rareza» consista en hacer daño al prójimo directa y claramente...

Acabo de emplear la palabra «derecho» y me parece que ya la he utilizado un poco antes. ¿Sabes por qué? Porque gran parte del difícil arte de ponerse en el lugar del prójimo tiene que ver con eso que desde muy antiguo se llama *justicia*. Pero aquí no sólo me refiero a lo que la justicia tiene de *institución pública* (es decir, leyes establecidas, jueces, abogados, etc.), sino a la *virtud* de la justicia, o sea: a la habilidad y el esfuerzo que debemos hacer cada uno —si queremos vivir bien— por entender lo que nuestros semejantes pueden *esperar* de nosotros. Las leyes y los jueces intentan determinar obligatoriamente lo mínimo que las personas tienen derecho a exigir de aquellos con quienes conviven en sociedad, pero se trata de un mínimo y nada más. Muchas veces por muy *legal* que sea, por mucho que se respeten los códigos y nadie pueda ponernos multas o llevarnos a la cárcel, nuestro comportamiento sigue siendo en el fondo *injusto*. Toda ley escrita no es más que una abreviatura, una simplificación —a menudo imperfecta— de lo que tu semejante puede esperar concretamente de *ti*, no del Estado o de sus jueces. La vida es demasiado compleja y sutil, las personas somos demasiado distintas, las situaciones son demasiado variadas, a menudo demasiado *íntimas*, como para que todo quepa en los libros de jurisprudencia. Lo mismo que nadie puede ser *libre* en tu lugar, también es cierto que nadie puede ser *justo* por ti si tú no te das cuenta de que debes serlo para vivir bien. Para entender del todo lo que el otro puede esperar de ti no hay más remedio que *amarle* un poco, aunque no sea más que amarle sólo porque también es humano... y ese pequeño pero importantísimo amor ninguna ley instituida puede imponerlo. Quien vive bien debe ser capaz de una justicia simpática, o de una compasión justa.

¡Vaya, me ha salido otro capítulo larguísimo! Pero tengo la excusa de que éste es el capítulo más importante de todos. Lo fundamental de la ética de la que quiero hablarte he intentado decirlo en estas últimas páginas. Me atrevería a pedirte que, si no estás demasiado harto, lo leyeras otra vez antes de pasar más adelante. Aunque si no lo haces porque estás algo cansado... ¡bueno, me pongo en tu lugar!

Vete leyendo...

«Un día, cerca del mediodía, cuando iba a visitar mi canoa, me sorprendió de una manera extraña el descubrir sobre la arena la reciente huella de un pie descalzo. Me paré de repente, como herido por un rayo o como si hubiese visto alguna aparición. Escuché, dirigí la vista alrededor mío, pero nada vi, no oí nada...» (Daniel Defoe, *Aventuras de Robinson Crusoe*).

«Toda vida verdadera es encuentro» (Martin Buber, *Yo y tú*).

«Unido con sus semejantes por el más fuerte de todos los vínculos, el de un destino común, el hombre libre encuentra que siempre lo acompaña una nueva visión que proyecta sobre toda tarea cotidiana la luz del amor. La vida del hombre es una larga marcha a través de la noche, rodeado de enemigos invisibles, torturado por el cansancio y el dolor, hacia una meta que pocos pueden esperar alcanzar, y donde nadie puede detenerse mucho tiempo. Uno tras otro, a medida que avanzan, nuestros camaradas se alejan de nuestra vista, atrapados por las órdenes silenciosas de la muerte omnipotente. Muy breve es el lapso durante el cual podemos ayudarlos, en el que se decide su felicidad o su miseria. ¡Ojalá nos corresponda derramar luz solar en su senda, iluminar sus penas con el bálsamo de la simpatía, darles la pura alegría de un afecto que nunca se cansa, fortalecer su ánimo desfalleciente, inspirarles fe en horas de desesperanza» (Bertrand Russell, *Misticismo y lógica*).

«Nunca hubo adepto de la virtud y enemigo del placer tan triste y tan rígido como para predicar las vigilias, los trabajos y las austeridades sin ordenar, al mismo tiempo, dedicarse con todas sus fuerzas a aliviar la pobreza y la miseria de los otros. Todos estiman que incluso hay que glorificar, con el título de humanidad, el hecho de que el hombre es para el hombre salvación y consuelo, puesto que es esencialmente "humano" —y ninguna virtud es tan propia del hombre como ésta— suavizar lo más posible las penas de los otros, hacer desaparecer la tristeza, devolver la alegría de vivir, es decir: el placer» (Tomás Moro, *Utopía*).

Capítulo octavo

TANTO GUSTO

Imagínate que alguien te informa de que tu amigo Fulanito o tu amiga Zutanita han sido detenidos por «conducta inmoral» en la vía pública. Puedes estar seguro de que su «inmoralidad» no ha consistido en saltarse un semáforo en rojo, o en haber dicho a alguien una mentira muy gorda en plena calle, ni tampoco es que hayan sustraído una cartera aprovechando las apreturas urbanas. Lo más probable es que el salido de Fulanito se dedicase a palmear con rudo aprecio el trasero de las mejores jamonas que se fueran cruzando en su camino o que la descocada de Zutanita, tras unas cuantas copas, se haya empeñado en mostrar a los viandantes que su anatomía nada tiene que envidiar a la de Sabrina o Marta Sánchez. Y si alguna persona de las llamadas «respetables» (¡como si el resto de las personas no lo fuesen!) te anuncia en tono severo que tal o cual película es «inmoral», ya sabes que no se refiere a que aparezcan varios asesinatos en la pantalla o a que los personajes ganen dinero por medios poco limpios sino a... bueno, tú ya sabes a lo que se refieren.

Cuando la gente habla de «moral» y sobre todo de «inmoralidad», el ochenta por ciento de las veces —y seguro que me quedo corto— el sermón trata de algo referente al *sexo*. Tanto que algunos creen que la moral se dedica ante todo a juzgar lo que la gente hace con sus genitales. El disparate no puede ser mayor y supongo que por poca atención que le hayas dedicado a lo que te vengo diciendo hasta ahora ya no se te ocurrirá compartirlo. En el sexo, de por sí, no hay nada más «inmoral» que en la comida o en los paseos por el campo; claro que alguien puede comportarse inmoralmente en el sexo (utilizándolo para hacer daño a otra persona, por ejemplo), lo mismo que hay quien se come el bocadillo del vecino o aprovecha sus paseos para planear atentados terroristas. Y por supuesto, como la relación sexual puede llegar a establecer vínculos muy poderosos y complicaciones afectivas muy delicadas entre la gente, es lógico que se consideren especialmente los *miramientos* debidos a los semejantes en tales casos. Pero, por lo demás, te digo rotundamente que en lo que hace disfrutar a dos y no daña a ninguno no hay nada de malo. El que de veras está «malo» es quien cree que hay algo de malo en disfrutar... No sólo es que «tenemos» un cuerpo, como suele decirse (casi con resignación), sino que *somos* un cuerpo, sin cuya satisfacción y bienestar no hay vida buena que valga. El que se avergüenza de las capacidades gozosas de su cuerpo es tan bobo como el que se avergüenza de haberse aprendido la tabla de multiplicar.

Desde luego, una de las funciones indudablemente importantes del sexo es la *procreación*. ¡Qué te voy a contar a ti, que eres hijo mío! Y es una consecuencia que no puede ser tomada a la ligera, pues impone obligaciones ciertamente éticas: repasa, si no te acuerdas, lo que te he contado antes sobre la *responsabilidad* como reverso inevitable de la libertad. Pero la experiencia sexual no puede limitarse simplemente a la *función* procreadora. En los seres humanos, los dispositivos naturales para asegurar la perpetuación de la especie tienen siempre otras dimensiones que la biología no parece haber previsto. Se les añaden símbolos y refinamientos, invenciones preciosas de esa libertad sin la que los hombres no seríamos hombres. Es paradójico que sean los que ven algo de «malo» o al menos de «turbio» en el sexo quienes dicen que dedicarse con demasiado entusiasmo a él *animaliza* al hombre.

La verdad es que son precisamente los animales quienes sólo emplean el sexo para procrear, lo mismo que sólo utilizan la comida para alimentarse o el ejercicio físico para conservar la salud; los humanos, en cambio, hemos inventado el erotismo, la gastronomía y el atletismo. El sexo es un mecanismo de reproducción para los hombres, como también para los ciervos y los besugos; pero en los hombres produce otros muchos efectos, por ejemplo la poesía lírica y la institución matrimonial, que ni los ciervos ni los besugos conocen (no sé si por desgracia o por suerte para ellos). Cuanto más se separa el sexo de la simple procreación, menos animal y más humano resulta. Claro que de ello se derivan consecuencias buenas y malas, como siempre que la libertad está en juego... Pero de ese problema te vengo hablando casi desde la primera página de este rollo.

Lo que se agazapa en toda esa obsesión sobre la «inmoralidad» sexual no es ni más ni menos que uno de los más viejos temores sociales del hombre: *el miedo al placer*. Y como el placer sexual destaca entre los más intensos y vivos que pueden sentirse, por eso se ve rodeado de tan enfáticos recelos y cautelas. ¿Por qué asusta el placer? Supongo que será porque nos gusta demasiado. A lo largo de los siglos, las sociedades siempre han intentado evitar que sus miembros se aficionasen a darle marcha al cuerpo a todas horas, olvidando el trabajo, la previsión del futuro y la defensa del grupo: la verdad es que uno nunca se siente tan contento y de acuerdo con la vida como cuando goza, pero si se olvida de todo lo demás puede no durar mucho vivo. La existencia humana ha sido en toda época y momento un juego *peligroso* y eso vale para las primeras tribus que se agruparon junto al fuego hace millares de años y para quienes hoy tenemos que cruzar la calle cuando vamos a comprar el periódico. El placer nos *distrae* a veces más de la cuenta, cosa que puede resultarnos fatal. Por eso los placeres se han visto siempre acosados por tabúes y restricciones, cuidadosamente racionados, permitidos sólo en ciertas fechas, etc.: se trata de precauciones sociales (que a veces perduran aun cuando ya no hacen falta) para que nadie se distraiga demasiado del peligro de vivir.

Por otro lado están quienes sólo disfrutan no dejando disfrutar. Tienen tanto miedo a que el placer les resulte irresistible, se angustian tanto pensando lo que les puede pasar si un día le dan de verdad gusto al cuerpo, que se convierten en *calumniadores* profesionales del placer. Que si el sexo esto, que si la comida y la bebida lo otro, que si el juego lo de más allá, que si basta de risas y fiestas con lo triste que es el mundo, etc.

151

Tú, ni caso. Todo puede llegar a sentar mal o servir para hacer el mal, pero *nada es malo sólo por el hecho de que te dé gusto hacerlo.* A los calumniadores profesionales del placer se les llama «puritanos». ¿Sabes quién es puritano? El que asegura que la señal de que algo es bueno consiste en que no nos gusta hacerlo. El que sostiene que siempre tiene más mérito sufrir que gozar (cuando en realidad puede ser más meritorio gozar *bien* que sufrir *mal*). Y lo peor de todo: el puritano cree que cuando uno vive *bien* tiene que pasarlo mal y que cuando uno lo pasa *mal* es porque está viviendo bien. Por supuesto, los puritanos se consideran la gente más «moral» del mundo y además guardianes de la moralidad de sus vecinos. No quiero ser exagerado, aunque suelo serlo, pero yo te diría que es más «decente» y más «moral» el sinvergüenza corriente que el puritano oficial. Su modelo suele ser la señora de aquel cuento... ¿te acuerdas? Llamó a la policía para protestar de que había unos chicos desnudos bañándose delante de su casa. La policía alejó a los chicos, pero la señora volvió a llamar diciendo que se estaban bañando (desnudos, siempre desnudos) un poco más arriba y que seguía el escándalo. Vuelta a alejarlos la policía y vuelta a protestar la señora. «Pero señora —dijo el inspector—, si los hemos mandado a más de un kilómetro y medio de distancia...» Y la puritana contestó, «virtuosamente» indignada: «¡Sí, pero con los gemelos todavía sigo viéndoles!»

Como a mi juicio el puritanismo es la actitud más opuesta que puede darse a la ética, no me oirás ni una palabra contra el placer ni por supuesto intentaré de ningún modo que te *avergüences*, aunque sea poquito, por el apetito de disfrutar lo más posible con cuerpo y alma. Incluso estoy dispuesto a repetirte con la mayor convicción el consejo de un viejo maestro francés que mucho te recomiendo, Michel de Montaigne: «Hay que retener con todas nuestras uñas y dientes el uso de los placeres de la vida, que los años nos quitan de entre las manos unos después de otros.» En esa frase de Montaigne quiero destacarte dos cosas. La primera aparece al final de la recomendación y dice que los años nos van quitando sin cesar posibilidades de gozo por lo que no es prudente esperar demasiado para decidirse a pasarlo bien. Si tardas mucho en pasarlo bien, terminas por pasar de pasarlo bien... Hay que saber entregarse al saboreo del presente, lo que los romanos (y el un poco latoso profe-poeta de *El club de los poetas muertos*) resumían en el dicho *carpe diem*. Pero esto no quiere decir que tengas que buscar hoy todos los placeres sino que debes *buscar todos los placeres de hoy.* Uno de los medios más seguros de estropear los goces del presente es empeñarte en que cada momento tenga *de todo* y que te brinde las satisfacciones más dispares e improbables. No te obsesiones con meter a la fuerza en el instante que vives los placeres que no pegan; procura más bien encontrarle el guiño placentero a todo lo que hay. Vamos: no dejes que se te enfríe el huevo frito por esforzarte a contracorriente en conseguir una hamburguesa ni te amargues la hamburguesa ya servida porque le falta *ketchup*... Recuerda que lo placentero no es el huevo, ni la hamburguesa, ni la salsa, sino lo bien que tú *sepas* disfrutar con lo que te rodea.

Lo cual me lleva al principio de la cita de Montaigne que antes te puse, cuando habla de aferrarse con uñas y dientes «al *uso* de los placeres de la vida». Lo bueno es usar los placeres, es decir, tener siempre cierto control sobre ellos que no les permita revolverse contra el resto de lo que forma tu existencia personal. Recuerda que hace bastantes páginas, con motivo de Esaú y sus lentejas recalentadas, hablamos de la *complejidad* de la vida y de lo recomendable que es para vivirla bien no simplificarla más de lo debido. El placer es muy agradable pero tiene una fastidiosa tendencia a lo excluyente: si te entregas a él con demasiada generosidad es capaz de irte dejando sin nada con el pretexto de hacértelo pasar bien. *Usar* los placeres, como dice Montaigne, es no permitir que cualquiera de ellos te borre la posibilidad de todos los otros y que ninguno te esconda por completo el *contexto* de la vida nada simple en que cada uno tiene su ocasión. La diferencia entre el «uso» y el «abuso» es precisamente ésa: cuando usas un placer, enriqueces tu vida y no sólo el placer sino que la vida misma te gusta cada vez más; es señal de que estás abusando el notar que el placer te va empobreciendo la vida y que ya no te interesa la vida sino sólo ese particular placer. O sea que el placer ya no es un ingrediente agradable de la plenitud de la vida, sino un refugio para *escapar* de la vida, para esconderte de ella y calumniarla mejor...

A veces decimos eso de «me muero de gusto». Mientras se trate de lenguaje figurado no hay nada que objetar, porque uno de los efectos benéficos del placer muy intenso es *disolver* todas esas armaduras de rutina, miedo y trivialidad que llevamos puestas y que a menudo nos amargan más de lo que nos protegen; al perder esas corazas parecemos «morir» respecto a lo que habitualmente somos, pero para renacer luego más fuertes y animosos. Por eso los franceses, especialistas delicados en esos temas, llaman al orgasmo «*la petite mort*», la *muertecita*... Se trata de una «muerte» para vivir más y mejor, que nos hace más sensibles, más dulce o fieramente apasionados. Sin embargo, en otros casos el gusto que obtenemos amenaza con matarnos en el sentido más literal e irremediable de la palabra. O mata nuestra salud y nuestro cuerpo, o nos embrutece matando nuestra humanidad, nuestros miramientos para con los demás y para con el resto de lo que constituye nuestra vida. No voy a negarte que haya ciertos placeres por los que pueda merecer la pena *jugarse* la vida. El «instinto de conservación» a toda costa está muy bien pero no es más que eso: un instinto. Y los humanos vivimos un poco más allá de los instintos o si no la cosa tiene poca gracia. Desde el punto de vista del médico o del acojonado profesional, ciertos placeres nos hacen *daño* y suponen un *peligro*, aunque para quienes tenemos una perspectiva menos clínica sigan siendo muy respetables y considerables. Sin embargo, permíteme que desconfíe de todos los placeres cuyo principal encanto parezca ser el «daño» y el «peligro» que proporcionan. Una cosa es que te «mueras de gusto» y otra bastante distinta que el gusto consista en morirse... o al menos en ponerse «a morir». Cuando un placer te mata, o está siempre —para darte gusto— a punto de matarte o va matando en ti lo que en tu vida hay de humano (lo que hace tu existencia ricamente compleja y te permite ponerte en el lugar de los otros)... es un *castigo* disfrazado de placer, una vil trampa de nuestra enemiga la muerte. La ética consiste en apostar a favor de que la vida vale la pena, ya que hasta las penas de la vida valen la pena. Y valen la pena porque es a través de ellas como podemos alcanzar los placeres de la vida, siempre contiguos —es el destino— a los dolores. De modo que si me das a elegir obligadamente entre las penas de la vida y los placeres de la muerte, elijo sin dudar las primeras... ¡precisamente porque lo que me gusta es disfrutar y no perecer! No quiero placeres que me permitan *huir* de la vida, sino que me la hagan más intensamente grata.

Y ahora viene la pregunta del millón: ¿cuál es la mayor *gratificación* que puede darnos algo en la vida? ¿Cuál es la recompensa más alta que podemos obtener de un esfuerzo, una caricia, una palabra, una música, un conocimiento, una máquina, o de montañas de dinero, del prestigio, de la gloria, del poder, del amor, de la ética o de lo que se te ocurra? Te advierto que la respuesta es tan sencilla que corre el riesgo de decepcionarte: *lo máximo que podemos obtener sea de lo que sea es alegría.* Todo cuanto lleva a la alegría tiene justificación (al menos desde un punto de vista, aunque no sea absoluto) y todo lo que nos aleja sin remedio de la alegría es un camino equivocado. ¿Qué es la alegría? Un «sí» espontáneo a la vida que nos brota de dentro, a veces cuando menos lo esperamos. Un «sí» a lo que somos, o mejor, a lo que *sentimos* ser. Quien tiene alegría ya ha recibido el premio máximo y no echa de menos nada; quien no tiene alegría —por sabio, guapo, sano, rico, poderoso, santo, etc., que sea— es un miserable que carece de lo más importante. Pues bien, escucha: el placer es estupendo y deseable cuando sabemos ponerlo al servicio de la alegría, pero no cuando la enturbia o la compromete. El límite negativo del placer no es el dolor, ni siquiera la muerte, sino la alegría: en cuanto empezamos a perderla por determinado deleite, seguro que estamos disfrutando con lo que no nos conviene. Y es que la alegría, no sé si vas a entenderme aunque no logro explicarme mejor, es una experiencia que abarca placer y dolor, muerte y vida; es la experiencia que definitivamente *acepta* el placer y el dolor, la muerte y la vida.

Al arte de poner el placer al servicio de la alegría, es decir, a la virtud que sabe no ir a caer del gusto en el disgusto, se le suele llamar desde tiempos antiguos *templanza*.

Se trata de una habilidad fundamental

del hombre libre pero hoy no está muy de moda: se la quiere sustituir por la *abstinencia* radical o por la *prohibición* policíaca. Antes que intentar usar bien algo de lo que se puede usar mal (es decir, abusar), los que han nacido para robots prefieren renunciar por completo a ello y, si es posible, que se lo prohíban desde fuera, para que así su voluntad tenga que hacer menos ejercicio. Desconfían de todo lo que les gusta; o, aún peor, creen que les gusta todo aquello de lo que desconfían. «¡Que no me dejen entrar en un bingo, porque me lo jugaré todo! ¡Que no me consientan probar un *porro*, porque me convertiré en un esclavo babeante de la droga!» Etc. Son como esa gente que compra una máquina que les da masajes en la barriga para no tener que hacer flexiones con su propio esfuerzo. Y claro, cuanto más se privan a la fuerza de las cosas, más locamente les apetecen, más se entregan a ellas con mala conciencia, dominados por el más triste de todos los placeres: el placer de sentirse *culpables*. Desengáñate: cuando a uno le gusta sentirse «culpable», cuando uno cree que un placer es más placer auténtico si resulta en cierto modo «criminal», lo que se está pidiendo a gritos es *castigo*... El mundo está lleno de supuestos «rebeldes» que lo único que desean en el fondo es que les castiguen por ser libres, que algún poder superior de este mundo o de otro les impida quedarse a solas con sus tentaciones.

En cambio, la templanza es amistad inteligente con lo que nos hace disfrutar. A quien te diga que los placeres son «egoístas» porque siempre hay alguien sufriendo mientras tú gozas, le respondes que es bueno ayudar al otro en lo posible a dejar de sufrir, pero que es malsano sentir remordimientos por no estar en ese momento sufriendo también o por estar disfrutando como el otro quisiera poder disfrutar. Comprender el sufrimiento de quien padece e intentar remediarlo no supone más que interés porque el otro pueda gozar también, no vergüenza porque tú estés gozando. Sólo alguien con muchas ganas de amargarse la vida y amargársela a los demás puede llegar a creer que siempre se goza *contra* alguien. Y a quien veas que considera «sucios» y «animales» todos los placeres que no comparte o que no se atreve a permitirse, te doy permiso para que le tengas por sucio y por bastante animal. Pero yo creo que esta cuestión ha quedado ya suficientemente clara, ¿no?

Vete leyendo...

«Lo que el oído desea oír es música, y la prohibición de oír música se llama obstrucción al oído. Lo que el ojo desea es ver belleza, y la prohibición de ver belleza es llamada obstrucción a la vista. Lo que la nariz desea es oler perfume, y la prohibición de oler perfume es llamada obstrucción al olfato. De lo que la boca quiere hablar es de lo justo e injusto, y la prohibición de hablar de lo justo e injusto es llamada obstrucción al entendimiento. Lo que el cuerpo desea disfrutar son ricos alimentos y bellas ropas, y la prohibición de gozar de éstos se llama obstrucción a las sensaciones del cuerpo. Lo que la mente quiere es ser libre, y la prohibición a esta libertad se llama obstrucción a la naturaleza» (Yang Chu, siglo III d.C.).

«El vicio corrige mejor que la virtud. Soporta a un vicioso y tomarás horror al vicio. Soporta a un virtuoso y pronto odiarás a la virtud entera» (Tony Duvert, *Abecedario malévolo*).

«La moderación presupone el placer; la abstinencia, no. Por eso hay más abstemios que moderados» (Lichtenberg, *Aforismos*).

«La única libertad que merece ese nombre es la de buscar nuestro propio bien, por nuestro camino propio, en tanto no privemos a los demás del suyo o les impidamos esforzarse por conseguirlo. Cada uno es el guardián natural de su propia salud, sea física, mental o espiritual. La humanidad sale más gananciosa consintiendo a cada cual vivir a su manera que obligándole a vivir a la manera de los demás» (John Stuart Mill, *Sobre la libertad*).

CAPÍTULO NOVENO

ELECCIONES GENERALES

Por todas partes te lo van a decir, de modo que no tendremos más remedio que hablar también un poco de ello. «¡La política es una vergüenza, una inmoralidad! ¡Los políticos no tienen ética!»: ¿a que has oído repetir cosas así un millón de veces? Como primera norma, en estas cuestiones de las que venimos hablando, lo más prudente es desconfiar de quienes creen que su «santa» obligación consiste en lanzar siempre rayos y truenos morales contra la gente *en general*, sean los políticos, las mujeres, los judíos, los farmacéuticos o el pobre y simple ser humano tomado como especie. La ética, ya lo hemos dicho pero nunca viene mal repetirlo, no es un arma arrojadiza ni munición destinada a pegarle buenos cañonazos al prójimo en su propia estima. Y mucho menos al prójimo en general, igual que si a los humanos nos hiciesen en serie como a los *donuts*. Para lo único que sirve la ética es para intentar mejorarse a uno mismo, no para reprender elocuentemente al vecino; y lo único seguro que sabe la ética es que el vecino, tú, yo y los demás estamos todos hechos artesanalmente, de uno en uno, con amorosa diferencia. De modo que a quien nos ruge al oído: «¡Todos los... (políticos, negros, capitalistas, australianos, bomberos, lo que se prefiera) son unos inmorales y no tienen ni pizca de ética!», se le puede responder amablemente: «Ocúpate de ti mismo, so capullo, que más te vale», o cosa parecida.

Ahora bien: ¿por qué tienen tan mala fama los políticos? A fin de cuentas, en una democracia políticos somos todos, directamente o por representación de otros. Lo más probable es que los políticos se nos parezcan mucho a quienes les votamos, quizá incluso *demasiado*; si fuesen muy distintos a nosotros, mucho peores o exageradamente mejores que el resto, seguro que no les elegiríamos para representarnos en el gobierno. Sólo los gobernantes que no llegan al poder por medio de elecciones generales (como los dictadores, los líderes religiosos o los reyes) basan su prestigio en que se les tenga por *diferentes* al común de los hombres. Como son distintos a los demás (por su fuerza, por inspiración divina, por la familia a que pertenecen o por lo que sea) se consideran con derecho a mandar sin someterse a las urnas ni escuchar la opinión de cada uno de sus conciudadanos. Eso sí, asegurarán muy serios que el «verdadero» pueblo está con ellos, que la «calle» les apoya con tanto entusiasmo que no hace falta ni siquiera contar a sus partidarios para saber si son muchos o menos de muchos. En cambio, quienes desean alcanzar sus cargos por vía electoral procuran presentarse al público como gente corriente, muy «humanos», con las mismas aficiones, problemas y hasta pequeños vicios que la mayoría cuyo refrendo necesitan para gobernar. Por supuesto, ofrecen ideas para mejorar la gestión de la sociedad y se consideran capaces de ponerlas competentemente en práctica, pero son ideas que cualquiera debe poder comprender y discutir, así como tienen que aceptar también la posibilidad de ser sustituidos en sus puestos si no son tan competentes como dijeron o tan honrados como parecían. Entre esos políticos los habrá muy decentes y otros caraduras y aprovechados, como ocurre entre los bomberos, los profesores, los sastres, los futbolistas y cualquier otro gremio. Entonces, ¿de dónde viene su notoria mala fama?

Para empezar, ocupan lugares especialmente *visibles* en la sociedad y también privilegiados. Sus defectos son más públicos que los de las restantes personas; además,

tienen más ocasiones de incurrir en pequeños o grandes abusos que la mayoría de los
ciudadanos de a pie. El hecho de ser conoci-
dos, envidiados e incluso temidos tampoco
contribuye a que sean tratados con ecuani-
midad. Las sociedades igualitarias, es decir,
democráticas, son muy poco caritativas con
quienes escapan a la media por encima o
por abajo: al que sobresale, apetece ape-
drearle; al que se va al fondo, se le pisa sin
remordimiento. Por otra parte, los políticos
suelen estar dispuestos a hacer más promesas de las que sabrían o querrían cumplir.
Su clientela se lo exige: quien no exagera las
posibilidades del futuro ante sus electores y
hace mayor énfasis en las dificultades que
en las ilusiones, pronto se queda solo. Juga-
mos a creernos que los políticos tienen pode-
res sobrehumanos y luego no les perdona-
mos la decepción inevitable que nos causan.
Si confiásemos menos en ellos desde el principio, no tendríamos que aprender a desconfiar tanto de ellos más tarde. Aunque a fin
de cuentas siempre es mejor que sean regu-
lares, tontorrones y hasta algo «chorizos»,
como tú o como yo, mientras sea posible
criticarles, controlarles y cesarles cada cierto tiempo; lo malo es cuando son «Jefes»
perfectos a los cuales, como se suponen a sí
mismos siempre en posesión de la verdad,
no hay modo de mandarles a casa más que a
tiros...

Dejemos en paz a los señores políticos, que bastantes jaleos provocan ya sin nuestra ayuda. Lo que a ti y a mí nos importa ahora es si la ética y la política tienen mucho que ver y cómo se relacionan. En cuanto a su finalidad, ambas parecen fundamentalmente emparentadas: ¿no se trata de *vivir bien* en los dos casos? La ética es el arte de elegir lo que más nos conviene y vivir lo mejor posible; el objetivo de la política es el de organizar lo mejor posible la convivencia social, de modo que cada cual pueda elegir lo que le conviene. Como nadie vive aislado (ya te he hablado de que tratar a nuestros semejantes humanamente es la base de la buena vida), cualquiera que tenga la preocupación ética de vivir bien no puede desentenderse olímpicamente de la política. Sería como empeñarse en estar cómodo en una casa pero sin querer saber nada de las goteras, las ratas, la falta de calefacción y los cimientos carcomidos que pueden hacer hundirse el edificio entero mientras dormimos...

Sin embargo, tampoco faltan las diferencias importantes entre ética y política. Para empezar, la ética se ocupa de lo que *uno mismo* (tú, yo o cualquiera) hace con su libertad, mientras que la política intenta coordinar de la manera más provechosa para el conjunto lo que *muchos* hacen con sus libertades. En la ética, lo importante es *querer* bien, porque no se trata más que de lo que cada cual hace porque quiere (no de lo que le pasa a uno quiera o no, ni de lo que hace a la fuerza). Para la política, en cambio, lo que cuentan son los *resultados* de las acciones, se hagan por lo que se hagan, y el político intentará presionar con los medios a su alcance —incluida la fuerza— para obtener ciertos resultados y evitar otros. Tomemos un caso trivial: el respeto a las indicaciones de los semáforos. Desde el punto de vista moral, lo positivo es querer respetar la luz roja (comprendiendo su utilidad general, poniéndose en el lugar de otras personas que pueden resultar dañadas si yo infrinjo la norma, etc.); pero si el asunto se considera políticamente, lo que importa es que nadie se salte los semáforos, aunque no sea más que por miedo a la multa o a la cárcel. Para el político, todos los que respetan la luz roja son igualmente «buenos», lo hagan por miedo, por rutina, por superstición o por convencimiento racional de que debe ser respetada; a la ética, en cambio, sólo le merecen aprecio verdadero estos últimos, porque son los que entienden mejor el uso de la libertad. En una palabra, hay diferencia entre la pregunta ética que yo me hago a mí mismo (¿cómo quiero *ser*, sean como sean los demás?) y la preocupación política por que la mayoría *funcione* de la manera considerada más recomendable y armónica.

Detalle importante: la ética no puede *esperar* a la política. No hagas caso de quienes te digan que el mundo es políticamente invivible, que está peor que nunca, que nadie puede pretender llevar una buena vida (éticamente hablando) en una situación tan injusta, violenta y aberrante como la que vivimos. Eso mismo se ha asegurado en todas las épocas y con razón, porque las sociedades humanas nunca han sido nada «del otro mundo», como suele decirse, siempre han sido cosa de este mundo y por tanto llenas de defectos, de abusos, de crímenes. Pero en todas las épocas ha habido personas capaces de vivir bien o por lo menos empeñadas en intentar vivir bien. Cuando podían, colaboraban en mejorar la sociedad en la que les había tocado desenvolverse; si eso no les era posible, por lo menos no la empeoraban, lo cual la mayoría de las veces no es poco. Lucharon —y luchan también hoy, no te quepa duda— por que las relaciones humanas políticamente establecidas vayan siendo eso, más humanas (o sea, menos violentas y más justas); pero nunca han esperado a que todo a su alrededor sea perfecto y humano para aspirar a la perfección y a la verdadera humanidad. Quieren ser los primeros de la buena vida, los que arrastran a los demás, y no los últimos a la zaga de todos. Quizá las circunstancias no les permitan llevar más que una vida *relativamente* buena, peor de lo que ellos desean... Bueno, ¿y qué? ¿Serían más sensatos siendo malos del todo, para dar gusto a lo peor del mundo y disgusto a lo mejor de sí mismos? Si estás seguro de que entre los alimentos que se te ofrecen hay muchos que están adulterados o podridos, ¿intentarás mientras puedas comer cosas sanas, aún sabiendo que no por ello dejarán de existir venenos en el mercado, o te envenenarás cuanto antes para seguir la corriente mayoritaria? Ningún orden político es tan malo que en él ya nadie pueda ser ni medio bueno: por muy adversas que sean las circunstancias, la responsabilidad final de sus propios actos la tiene cada uno y lo demás son coartadas. Del mismo modo, también son ganas de esconder la cabeza bajo el ala los sueños de un orden político tan impecable (*utopía*, suelen llamarlo) que en él todo el mundo fuese «automáticamente» bueno porque las circunstancias no permitiesen cometer el mal. Por mucho mal que haya suelto, siempre habrá bien para quien *quiera* bien; por mucho bien que hayamos logrado instalar públicamente, el mal siempre estará al alcance de quien *quiera* mal. ¿Te acuerdas? A ésto le venimos llamando «libertad» hace ya no poco rato...

Desde un punto de vista ético, es decir, desde la perspectiva de lo que conviene para la vida buena, ¿cómo será la organización política preferible, aquella que hay que esforzarse por conseguir y defender? Si repasas un poco lo que hemos venido diciendo hasta aquí (temo, ay, que el rollo vaya siendo demasiado largo para que te acuerdes de todo) ciertos aspectos de ese ideal se te ocurrirán en cuanto reflexiones con atención sobre el asunto:

a) Como todo el proyecto ético parte de la *libertad*, sin la cual no hay vida buena que valga, el sistema político deseable tendrá que respetar al máximo —o limitar mínimamente, como prefieras— las facetas públicas de la libertad humana: la libertad de reunirse o de separarse de otros, la de expresar las opiniones y la de inventar belleza o ciencia, la de trabajar de acuerdo con la propia vocación o interés, la de intervenir en los asuntos públicos, la de trasladarse o instalarse en un lugar, la libertad de elegir los propios goces de cuerpo y de alma, etc. Abstenerse dictaduras, sobre todo las que son «por nuestro bien» (o por «el bien común», que viene a ser lo mismo). Nuestro mayor bien —particular o común— es ser libres. Desde luego, un régimen político que conceda la debida importancia a la libertad insistirá también en la *responsabilidad* social de las acciones y omisiones de cada uno (digo «omisiones» porque a veces se hace también *no haciendo*). Por regla general, cuanto menos responsable resalte cada cual de sus méritos o fechorías (y se diga, por ejemplo, que son fruto de la «historia», la «sociedad establecida», las «reacciones químicas del organismo», la «propaganda», el «demonio» o cosas así) menos libertad se está dispuesto a concederle. En los sistemas políticos en que los individuos nunca son del todo «responsables», tampoco suelen serlo los gobernantes, que siempre actúan movidos por las «necesidades» históricas o los imperativos de la «razón de Estado». ¡Cuidado con los políticos para quien todo el mundo es «víctima» de las circunstancias... o «culpable» de ellas!

b) Principio básico de la vida buena, como ya hemos visto, es tratar a las personas como a personas, es decir: ser capaces de ponernos en el lugar de nuestros semejantes y de relativizar nuestros intereses para armonizarlos con los suyos. Si prefieres decirlo de otro modo, se trata de aprender a considerar los intereses del otro como si fuesen tuyos y los tuyos como si fuesen de otro. A esta virtud se le llama *justicia* y no puede haber régimen político decente que no pretenda, por medio de leyes e instituciones, fomentar la justicia entre los miembros de la sociedad. La única razón para limitar la libertad de los individuos cuando sea indispensable hacerlo es impedir, incluso por la fuerza si no hubiera otra manera, que traten a sus semejantes como si no lo fueran, o sea que los traten como a juguetes, a bestias de carga, a simples herramientas, a seres inferiores, etc. A la condición que puede exigir cada humano de ser tratado como semejante a los demás, sea cual fuere su sexo, color de piel, ideas o gustos, etc., se le llama *dignidad*. Y fíjate qué curioso: aunque la dignidad es lo que tenemos todos los humanos en común, es precisamente lo que sirve para reconocer a cada cual como único e irrepetible. Las cosas pueden ser «cambiadas» unas por otras, se las puede «sustituir» por otras parecidas o mejores, en una palabra: tienen su «precio» (el dinero suele servir para facilitar estos intercambios, midiéndolas todas por un mismo rasero). Dejemos de lado por el momento que ciertas «cosas» estén tan vinculadas a las condiciones de la existencia humana que resulten insustituibles y por lo tanto «que no puedan ser compradas ni por todo el oro del mundo», como pasa con ciertas obras de arte o ciertos aspectos de la naturaleza. Pues bien, *todo* ser humano tiene dignidad y no precio, es decir, no puede ser sustituido ni se le debe *maltratar* con el fin de beneficiar a otro. Cuando digo que no puede ser sustituido, no me refiero a la función que realiza (un carpintero puede sustituir en su trabajo a otro carpintero) sino a su personalidad propia, a lo que verdaderamente *es*; cuando hablo de «maltratar» quiero decir que, ni siquiera si se le castiga de acuerdo a la ley o se le tiene políticamente como enemigo, deja de ser acreedor a unos miramientos y a un respeto. Hasta en la *guerra*, que es el mayor fracaso del intento de «buena vida» en común de los hombres, hay comportamientos que suponen un crimen mayor que el propio crimen organizado que la guerra representa. Es la dignidad humana lo que nos hace a todos semejantes justamente porque certifica que cada cual es único, no intercambiable y con los mismos derechos al reconocimiento social que cualquier otro.

c) La experiencia de la vida nos revela en carne propia, incluso a los más afortunados, la realidad del sufrimiento. Tomarse al otro en serio, poniéndonos en su lugar, consiste no sólo en reconocer su dignidad de semejante sino también en simpatizar con sus dolores, con las desdichas que por error propio, accidente fortuito o necesidad biológica le afliguen, como antes o después pueden afligirnos a todos. Enfermedades, vejez, debilidad insuperable, abandono, trastorno emocional o mental, pérdida de lo más querido o de lo más imprescindible, amenazas y agresiones violentas por parte de los más fuertes o de los menos escrupulosos... Una comunidad política deseable tiene que garantizar dentro de lo posible la *asistencia* comunitaria a los que sufren y la ayuda a los que por cualquier razón menos pueden ayudarse a sí mismos. Lo difícil es lograr que esta asistencia no se haga a costa de la libertad y la dignidad de la persona. A veces el Estado, con el pretexto de ayudar a los inválidos, termina por tratar como si fuesen inválidos a toda la población. Las desdichas nos ponen en manos de los demás y aumentan el poder colectivo sobre el individuo: es muy importante esforzarse porque ese poder no se emplee más que para remediar carencias y debilidades, no para perpetuarlas bajo anestesia en nombre de una «compasión» autoritaria.

Quien desee la vida buena para sí mismo, de acuerdo al proyecto ético, tiene también que desear que la comunidad política de los hombres se base en la *libertad*, la *justicia* y la *asistencia*. La democracia moderna ha intentado a lo largo de los dos últimos siglos establecer (primero en la teoría y poco a poco en la práctica) esas exigencias mínimas que debe cumplir la sociedad política: son los llamados *derechos humanos* cuya lista todavía es hoy, para nuestra vergüenza colectiva, un catálogo de buenos propósitos más que de logros efectivos. Insistir en reivindicarlos al completo, en todas partes y

177

para todos, no unos cuantos y sólo para unos cuantos, sigue siendo la única empresa política de la que la ética no puede desentenderse. Respecto a que la etiqueta que vayas a llevar en la solapa mientras tanto haya de ser de «derechas», de «izquierdas», de «centro» o de lo que sea... bueno, tú verás, porque yo paso bastante de esa nomenclatura algo anticuada.

Lo que sí me parece evidente es que muchos de los problemas que hoy se nos presentan a los cinco mil millones de seres humanos que atiborramos el planeta (y el censo sigue, ay, en aumento) no pueden ser resueltos, ni siquiera bien planteados, más que de forma global para todo el mundo. Piensa en el hambre, que hace morir todavía a tantísimos millones de personas, o el subdesarrollo económico y educativo de muchos países, o la pervivencia de sistemas políticos brutales que oprimen sin remilgos a su población y amenazan a sus vecinos, o el derroche de dinero y ciencia en armamentos, o la simple y llana miseria de demasiada gente incluso en naciones ricas, etc. Creo que la actual fragmentación política del mundo (de un mundo ya unificado por la interdependencia económica y la universalización de las comunicaciones) no hace más que perpetuar estas lacras y entorpecer las soluciones que se proponen. Otro ejemplo: el militarismo, la inversión frenética en armamento de recursos que podrían resolver la mayoría de las carencias que hoy se padecen en el mundo, el cultivo de la guerra agresiva (arte inmoral de *suprimir* al otro en lugar de intentar ponerse en su lugar)... ¿Crees tú que hay otro modo de acabar con esa locura que no sea el establecimiento de una autoridad a escala mundial con fuerza suficiente para disuadir a cualquier grupo de la afición a jugar a batallitas? Por último, antes te decía que algunas cosas no son sustituibles como lo son otras: esta «cosa» en que vivimos, el planeta Tierra, con su equilibrio vegetal y animal, no parece que tenga sustituto a mano ni que sea posible «comprarnos» otro mundo si por afán de lucro o por estupidez destruimos éste. Pues bien, la Tierra no es un conjunto de parches ni de parcelas: mantenerla habitable y hermosa es una tarea que sólo puede ser asumida por los hombres en cuanto comunidad mundial, no desde el ventajismo miope de unos contra otros.

A lo que voy: cuanto favorece la organización de los hombres de acuerdo con su pertenencia a la humanidad y no por su pertenencia a tribus, me parece en principio políticamente interesante. La diversidad de formas de vida es algo esencial (¡imagínate qué aburrimiento si faltase!) pero siempre que haya unas pautas mínimas de tolerancia entre ellas y que ciertas cuestiones reúnan los esfuerzos de todos. Si no, lo que conseguiremos es una diversidad de crímenes y no de culturas. Por ello te confieso que *aborrezco* las doctrinas que enfrentan sin remedio a unos hombres con otros: el *racismo*, que clasifica a las personas en primera, segunda o tercera clase de acuerdo con fantasías pseudocientíficas; los *nacionalismos* feroces, que consideran que el individuo no es nada y la identidad colectiva lo es todo; las *ideologías* fanáticas, religiosas o civiles, incapaces de respetar el pacífico conflicto entre opiniones, que exigen a todo el mundo creer y respetar lo que ellas consideran la «verdad» y sólo eso, etc. Pero no quiero ahora empezar a darte la paliza política ni contarte mis puntos de vista sobre todo lo divino y lo humano. En este último capítulo sólo he pretendido señalarte que hay exigencias políticas que ninguna persona que quiera vivir bien puede dejar de tener. Del resto ya hablaremos... En otro libro.

Vete leyendo...

«No el Hombre, sino los hombres habitan este planeta. La pluralidad es la ley de la Tierra» (Hanna Arendt, *La vida del espíritu*).

«Si yo supiese algo que me fuese útil y que fuese perjudicial a mi familia, lo expulsaría de mi espíritu.

Si yo supiese algo útil para mi familia y que no lo fuese para mi patria, intentaría olvidarlo. Si yo supiese algo útil para mi patria y que fuese perjudicial para Europa, o bien que fuese útil para Europa y perjudicial para el género humano, lo consideraría como un crimen, porque soy necesariamente hombre mientras que no soy francés más que por casualidad» (Montesquieu).

«Aunque los estados observasen los pactos entre ellos perfectamente, es lamentable que el uso de ratificarlo todo por un juramento religioso haya entrado en las costumbres —como si dos pueblos separados por un ligero espacio, solamente por una colina o por un río, no estuviesen unidos por lazos sociales fundados en la propia naturaleza— pues esta práctica hace creer a los hombres que han nacido para ser adversarios o enemigos, y que tienen el deber de trabajar en su perdición recíproca, a menos que se lo impidan los tratados. (...). Por el contrario, nadie debería ser tenido por enemigo, si no hubiese causado un daño real. La comunidad de naturaleza es el mejor de los tratados y los hombres están más íntima y más fuertemente unidos por la voluntad de hacerse recíprocamente el bien que por los pactos, más vinculados por el corazón que por las palabras» (Tomás Moro, *Utopía*).

Epílogo

TENDRÁS QUE PENSÁRTELO

Bien, ya está. A trancas y barrancas, desde luego, pero lo principal creo que ahí queda dicho. Me refiero a lo «principal» que yo soy capaz de decirte ahora: otras cosas mucho más principales tendrás que aprenderlas de otros o, lo que será mejor, pensarlas por ti mismo. No pretendo que te tomes este libro demasiado en serio, ¡por nada del mundo! Después de todo, es muy probable que ni siquiera se trate de un verdadero libro de ética, al menos si Wittgenstein tenía razón. Este notable filósofo contemporáneo consideraba tan imposible escribir un *verdadero* libro de ética que afirmó: «Si un hombre pudiese escribir un libro sobre ética que fuese verdaderamente un libro sobre ética, ese libro, como una explosión, aniquilaría todos los demás libros del mundo.» Aquí me tienes, ya acabando estas páginas que te dirijo y sin haber oído el trueno aniquilador de ninguna explosión. Mis viejos libros que tanto quiero (incluido ése en el que Wittgenstein expresa la opinión antes citada) siguen afortunadamente incólumes en los estantes de la biblioteca. Por lo visto no me ha salido el encantamiento, digo el libro de ética: tú, tranquilo. Otros muchísimo mejores que yo lo intentaron antes con resultados que tampoco hicieron volar en añicos el resto de la literatura pero que de todos modos harás bien en intentar conocer: Aristóteles, Spinoza, Kant, Nietzsche... Aunque me he propuesto no citártelos a cada rato porque estábamos hablando entre amigos, te confieso que lo más aprovechable que pueda haber en las páginas anteriores viene de ellos: a mí sólo me corresponde la paternidad de las tonterías (¡perdona, no te des por aludido!).

De modo que este libro no tienes por qué tomártelo demasiado en serio. Entre otras cosas porque la «seriedad» no suele ser una señal inequívoca de sabiduría, como creen los pelmazos: la inteligencia debe saber *reír*... Su tema, en cambio, harás bien en no pasarlo por alto: trata de lo que puedes hacer con tu vida y si eso no te interesa, ya no sé lo que puede interesarte. ¿Cómo vivir del mejor modo posible? Esta pregunta me resulta mucho más sustanciosa que otras aparentemente más tremendas: «¿Tiene sentido la vida? ¿Merece la pena vivir? ¿Hay vida después de la muerte?» Mira, la vida tiene sentido y sentido único; va hacia adelante, no hay moviola, no se repiten las jugadas ni suelen poder corregirse. Por eso hay que reflexionar sobre lo que uno quiere y fijarse en lo que se hace. Después... guardar siempre el ánimo ante los fallos, porque la suerte también juega y a nadie se le deja acertar en todas las ocasiones. ¿El sentido de la vida? Primero, procurar no fallar; luego, procurar fallar sin desfallecer. En cuanto a si merece la pena vivir, te remito a lo que comentaba a este respecto Samuel Butler, un escritor inglés a menudo guasón: «Ésa es una pregunta para un embrión, no para un hombre.» Cualquiera que sea el criterio que elijas para juzgar si la vida vale la pena o no, lo tendrás que tomar de esa misma vida en la que ya estás sumergido. Incluso si rechazas la vida, lo harás en nombre de valores vitales, de ideales o ilusiones que has aprendido durante el oficio de vivir. De modo que es la vida lo que vale... incluso para quien llega a la conclusión de que no vale la pena vivir. ¡Más razonable sería preguntarnos si «tiene sentido la muerte», si la muerte «vale la pena», porque de ésa sí que no sabemos nada, ya que todo nuestro saber y todo lo que para nosotros vale proviene de la vida! Creo que toda ética digna de ese nombre parte de la vida y se propone reforzarla, hacerla más rica. Me atreveré a ir más lejos, ahora que nadie nos oye: pienso que sólo es *bueno* el que siente una *antipatía activa por la muerte.* ¡Ojo! Digo «antipatía» y no «miedo»; en el miedo siempre hay un inicio de respeto y bastante sumisión. No creo que la muerte se merezca tanto... Pero ¿hay vida después de la muerte? Desconfío de todo lo que debe conseguirse gracias a la muerte, aceptándola, utilizándola, haciendo manitas con ella, sea la gloria en este mundo o la vida perdurable en algún otro. Lo que me interesa no es si hay vida *después* de la muerte, sino que haya vida *antes.* Y que esa vida sea buena, no simple supervivencia o miedo constante a morir.

Me quedo pues con la pregunta acerca de cómo vivir mejor. A lo largo de todos los capítulos anteriores he intentado no tanto contestarla como ayudarte a *comprenderla* más a fondo. En cuanto a la respuesta, me temo que no vas a tener más remedio que buscártela personalmente. Y eso por tres razones:

a) Por la propia incompetencia de tu improvisado maestro, o sea yo. ¿Cómo voy yo a enseñar a vivir bien a nadie si sólo acierto a vivir regular y gracias? Me siento como un calvo anunciando un crecepelo insuperable...

b) Porque vivir no es una ciencia exacta, como las matemáticas, sino un *arte*, como la música. De la música se pueden aprender ciertas reglas y se puede escuchar lo que han creado grandes compositores, pero si no tienes oído, ni ritmo, ni voz, de poco va a servirte todo eso. Con el arte de vivir pasa lo mismo: lo que puede enseñarse le viene muy bien a quien tiene condiciones, pero al «sordo» de nacimiento son cosas que le aburren o le lían aún más de lo que está. Claro que en este campo la mayoría de los sordos suelen serlo *voluntariamente...*

c) La buena vida no es algo general, fabricado en serie, sino que sólo existe *a la medida.* Cada cual debe ir inventándosela de acuerdo con su individualidad, única, irrepetible... y frágil. En lo de vivir bien, la sabiduría o el ejemplo de los demás pueden ayudarnos pero no sustituirnos...

La vida no es como las medicinas, que todas vienen con su prospecto en el que se explican las contraindicaciones del producto y se detalla la dosis en que debe ser consumido. Nos la dan sin receta, la vida, y sin prospecto. La ética no puede suplir del todo esa deficiencia porque no es más que la crónica de los esfuerzos hechos por los humanos para remediarla. Un escritor francés muerto no hace mucho, Georges Perec, escribió un libro titulado así: *La vida: instrucciones para su uso.* Pero se trata de una deliciosa e inteligente broma literaria, no de un sistema de ética. Por eso he renunciado a darte una serie de *instrucciones* sobre cuestiones concretas: que si el aborto, que si los preservativos, que si la objeción de conciencia, que si patatín o que si patatán. Ni mucho menos he tenido el atrevimiento (¡tan repelentemente típico de quienes se consideran «moralistas»!) de predicarte en tono lastimero o indignado sobre los «males» de nuestro siglo: el consumismo, ¡ah!, la insolidaridad, ¡eh!, el afán de dinero, ¡oh!, la violencia, ¡uh!, la crisis de valores, ¡ah, eh, oh, uh! Tengo mis opiniones sobre esos temas y sobre otros, pero yo no soy «la ética»: sólo soy papá. A través de mí, la ética lo único que puede decirte es que busques y pienses por ti mismo, en libertad sin trampas: responsablemente. He intentado enseñarte *formas* de andar, pero ni yo ni nadie tiene derecho a llevarte en hombros. ¿Acabo con el último consejo, sin embargo? Ya que se trata de *elegir*, procura elegir siempre aquellas opciones que permiten luego mayor número de otras opciones posibles, no las que te dejan cara a la pared. Elige lo que te *abre*: a los otros, a nuevas experiencias, a diversas alegrías. Evita lo que te encierra y lo que te entierra. Por lo demás, ¡suerte! Y también aquello otro que una voz parecida a la mía te gritó aquel día en tu sueño cuando amenazaba arrastrarte el torbellino: ¡confianza!

188

Despedida

«Adiós, amigo lector; intenta no ocupar tu vida en odiar y tener miedo» (Sthendal, *Lucien Leuwen*).

ÍNDICE